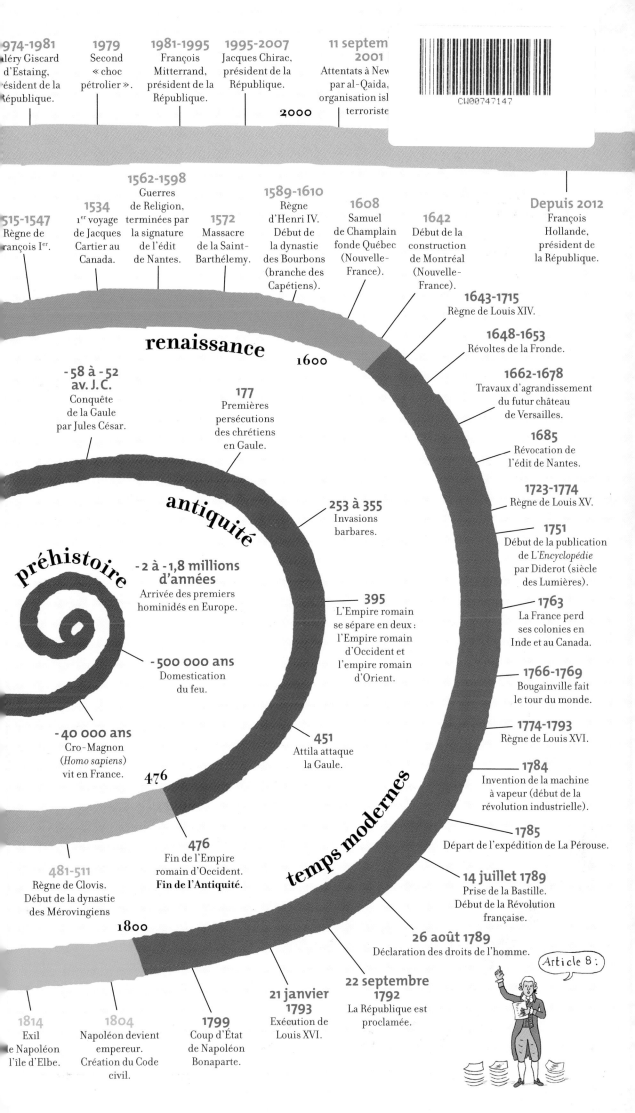

974-1981
léry Giscard
d'Estaing,
ésident de la
République.

1979
Second
« choc
pétrolier ».

1981-1995
François
Mitterrand,
président de la
République.

1995-2007
Jacques Chirac,
président de la
République.

11 septem
2001
Attentats à New
par al-Qaida,
organisation isl
terroriste

2000

515-1547
Règne de
rançois Ier.

1534
1er voyage
de Jacques
Cartier au
Canada.

1562-1598
Guerres
de Religion,
terminées par
la signature
de l'édit
de Nantes.

1572
Massacre
de la Saint-
Barthélemy.

1589-1610
Règne
d'Henri IV.
Début de
la dynastie
des Bourbons
(branche des
Capétiens).

1608
Samuel
de Champlain
fonde Québec
(Nouvelle-
France).

1642
Début de la
construction
de Montréal
(Nouvelle-
France).

Depuis 2012
François
Hollande,
président de
la République.

1643-1715
Règne de Louis XIV.

1648-1653
Révoltes de la Fronde.

1662-1678
Travaux d'agrandissement
du futur château
de Versailles.

1685
Révocation de
l'édit de Nantes.

1723-1774
Règne de Louis XV.

1751
Début de la publication
de L'*Encyclopédie*
par Diderot (siècle
des Lumières).

1763
La France perd
ses colonies en
Inde et au Canada.

1766-1769
Bougainville fait
le tour du monde.

1774-1793
Règne de Louis XVI.

1784
Invention de la machine
à vapeur (début de la
révolution industrielle).

1785
Départ de l'expédition de La Pérouse.

14 juillet 1789
Prise de la Bastille.
Début de la Révolution
française.

26 août 1789
Déclaration des droits de l'homme.

Article 8 :

renaissance

1600

-58 à -52
av. J.C.
Conquête
de la Gaule
par Jules César.

177
Premières
persécutions
des chrétiens
en Gaule.

antiquité

253 à 355
Invasions
barbares.

préhistoire

-2 à -1,8 millions
d'années
Arrivée des premiers
hominidés en Europe.

395
L'Empire romain
se sépare en deux :
l'Empire romain
d'Occident et
l'empire romain
d'Orient.

-500 000 ans
Domestication
du feu.

-40 000 ans
Cro-Magnon
(*Homo sapiens*)
vit en France.

476

451
Attila attaque
la Gaule.

476
Fin de l'Empire
romain d'Occident.
Fin de l'Antiquité.

temps modernes

481-511
Règne de Clovis.
Début de la dynastie
des Mérovingiens

1800

1814
Exil
e Napoléon
l'île d'Elbe.

1804
Napoléon devient
empereur.
Création du Code
civil.

1799
Coup d'État
de Napoléon
Bonaparte.

21 janvier
1793
Exécution de
Louis XVI.

22 septembre
1792
La République est
proclamée.

La collection « Images Doc »
a été conçue à partir du fonds éditorial
du magazine, en étroite collaboration
avec la rédaction.
Images Doc est un magazine
mensuel édité par Bayard Jeunesse.

Maquette : Arielle Cambessédès
Édition : Catherine Destephen
Direction d'ouvrage : Pascale Bouchié

© Bayard Éditions, 2014
18, rue Barbès, 92120 Montrouge
ISBN : 978-2-7470-5252-8
Dépôt légal : octobre 2014

4ᵉ tirage : octobre 2016

Sophie Crépon • Béatrice Veillon

L'HISTOIRE DE FRANCE en BD

bayard jeunesse

sommaire

XIXe SIÈCLE

DU XXe SIÈCLE À NOS JOURS

À la chasse avec Neandertal

Le printemps est revenu depuis quelques jours. Quelque part en France, ces hommes de Neandertal décident de partir à la chasse aux rennes. L'un d'eux va faire une rencontre étonnante…

Au printemps, des Néandertaliens parcourent leur territoire de chasse.

Le clan cherche des indices du passage de gros gibier.

Un peu plus loin, le clan observe un troupeau de rennes.

Acouapaata*.

Le clan s'est divisé. Les rabatteurs s'approchent du troupeau.

Ils isolent des proies.

L'attaque démarre !

* *Gros troupeau* (on ne connaît pas la langue exacte des Néandertaliens, mais on sait qu'ils communiquaient par la parole).

Un jeune s'est approché...

Quand soudain...

AAAHHH!

Son père vient en renfort.

Aga Ita ! Aga Ita*!

10

* Il est mort !

Le père porte son fils mort.

Aquou Aka*?

Avatoopee**.

Le père part chercher du bois pour recouvrir le corps.

AAAAHHH

Il se retrouve face à un inconnu d'une autre espèce humaine.

Les hommes s'observent.

* Que faire du corps ?   ** Le recouvrir.

11

De retour, le père recouvre son fils de branches. Plus tard, il récupérera ses ossements.

Ailleurs, le clan s'active.

Au milieu des siens, le père raconte sa rencontre.

Il explique que cet homme n'était pas comme eux*.

À l'automne, la chasse aux rennes s'achève. Le clan regagne son abri.

Plus tard, dans la grotte...

Le clan des Néandertaliens enterre le jeune chasseur.

FIN

*En effet, il s'agit d'un *Homo sapiens*.

La France des premiers hommes

Apparus en Afrique, les premiers hominidés migrent vers l'Europe il y a 1,8 million d'années. La France est alors couverte de forêts. Le niveau de la mer y est plus élevé qu'aujourd'hui.

1 } Des singes qui marchent

Les hominidés, des singes bipèdes, sont considérés comme des préhumains. Certaines espèces ont cohabité à une même période et ont évolué de façon différente. D'autres se sont éteintes. *Homo habilis* est la plus ancienne espèce humaine connue. Il a vécu en Afrique de - 2,4 à - 1,5 million d'années. Il mesure 1,40 m en moyenne et a un petit cerveau. Il se déplace debout, utilise des outils et se nourrit de baies, de racines et de viande crue.

Le premier Européen
Homo erectus, « l'homme debout », a vécu de - 1,8 à - 0,4 million d'années. Né en Afrique, il est arrivé en Europe sans doute en suivant des troupeaux d'animaux. Il a été le premier hominidé à maîtriser le feu. Il mesure 1,60 m pour 70 kg en moyenne et a un cerveau plus gros que celui d'*Homo habilis*.

2 } L'homme de Tautavel

En 1971, Henry de Lumley découvre à Tautavel un crâne vieux de 450 000 ans, qu'il baptise « homme de Tautavel ». L'étude de ses restes révèle qu'il est un excellent chasseur-cueilleur nomade. Il vit en clan à l'entrée de grottes ou sous des huttes de branchages. Quand la chasse n'est pas bonne, il mange des animaux déjà morts. Il pratique aussi le cannibalisme, sans doute lors de rites magiques. Il ressemble à *Homo erectus* mais présente déjà des caractéristiques du futur homme de Neandertal (voir p. 14).

Les paléontologues
On connaît la préhistoire grâce au travail des paléontologues. Ces scientifiques fouillent le sol et y trouvent des ossements, des traces de pas, des outils. L'étude de ces fossiles permet de comprendre qui étaient nos ancêtres et comment ils vivaient.

Où vivaient les premiers habitants ?

C'est à Lézignan-la-Cèbe, dans l'Hérault, que les paléontologues ont retrouvé les plus anciennes traces de présence humaine en France. Ces premiers habitants, sans doute des *Homo erectus*, vivaient il y a 1,6 million d'années. Ils savaient tailler la pierre pour en faire des outils (tranchoirs, racloirs...). D'autres traces d'hominidés ont été découvertes un peu partout en France.

La grotte de Menez-Dregan
(Plouhinec, Finistère)
- 500 000 ans

La grotte du Vallonet
(Roquebrune, Alpes-Maritimes)
- 1 million d'années

Lézignan-la-Cèbe
(Hérault)
-1,6 million d'années

La crique de Terra Amata
(Nice, Alpes-Maritimes)
- 400 000 à
- 380 000 ans

La grotte de l'Arago
(Tautavel, Pyrénées-Orientales)
-300 000 à - 450 000 ans

Découverte en 2008 et 2009
choppers (tranchoirs)

Découverte en 1838
crâne (découvert en 1971), mâchoires, phalanges, rotules

Découverte en 1966
outils (pointes, racloirs, bifaces...), ossements (mandibule), traces de feu et de huttes, empreinte de pied

Découverte en 1958
silex taillés

Découverte en 1985
choppers (tranchoirs), traces de feu

L'homme de Neandertal

Neandertal a vécu de - 350 000 ans à - 30 000 ans en Europe et en Asie. Il a côtoyé Cro-Magnon, l'homme moderne, pendant plusieurs milliers d'années. Des scientifiques ont prouvé qu'il y a eu des croisements génétiques entre les deux populations.

1 } L'homme qui enterre ses morts

Son nom vient de la vallée de Neander, en Allemagne, où on a trouvé des ossements de cette espèce. Il mesure 1,60 m et pèse entre 80 et 90 kg. Sa musculature puissante est adaptée au froid et son cerveau est plus gros que celui de l'homme actuel. Neandertal enterre ses morts.

Un froid de canard !

Les Néandertaliens ont vécu à une période très froide : un immense glacier recouvrait l'Europe jusqu'en Angleterre et en Allemagne. La France était coupée de l'Espagne et de l'Italie par les glaciers des Alpes et des Pyrénées.

2 } Un menu varié

On a longtemps cru que Neandertal ne mangeait que de la viande. En réalité, selon les régions où il vit, il consomme aussi poissons, coquillages, végétaux et racines. Il maîtrise le feu et cuit ses aliments.

3 } Des outils et des parures

Neandertal taille des outils en silex tels que racloirs et pointes. Il sait même fabriquer une sorte de colle à partir d'écorce de bouleau chauffée. Il s'en sert pour fixer des outils de pierre sur des manches en bois. Récemment, on a découvert qu'il confectionnait sans doute des parures en coquillages peints.

Paléolithique ou néolithique ?

Le paléolithique est la période la plus ancienne et la plus longue de la préhistoire, celle des premiers hominidés et des premiers outils en pierre taillée. Neandertal vivait au paléolithique. Le néolithique débute il y a 10 000 ans. C'est une période de grands changements : les hommes construisent les premiers villages, apprennent à cultiver et domestiquent les animaux. Ils améliorent leurs outils en les polissant. Le néolithique se termine en - 3200.

Les hommes préhistoriques parlaient-ils ?

Les scientifiques ne sont pas d'accord entre eux sur cette question. Pour certains, le langage est apparu il y a seulement 40 000 ans, pour d'autres, il y a 500 000 ans. Récemment, l'étude du larynx de Neandertal, qui a vécu de - 350 000 à - 28 000 ans, a révélé qu'il était physiquement capable de parler. Faisait-il déjà des phrases ou utilisait-il simplement des mots ? Personne ne le sait à ce jour !

- 2 à -1,8 million d'années	- 500 000 ans	- 450 000	- 350 000	- 200 000
Arrivée des premiers hominidés en Europe.	Domestication du feu.	Apparition des ancêtres des hommes de Neandertal (homme de Tautavel).	Apparition des premiers hommes de Neandertal.	Apparition d'*Homo sapiens*.

Repères

Un *Homo sapiens* nommé Cro-Magnon

Les *Homo sapiens*, les « hommes savants », sont apparus il y a près de 200 000 ans, d'abord en Afrique puis partout dans le monde. En France, les paléontologues l'ont baptisé Cro-Magnon parce qu'on a retrouvé son squelette au lieu-dit Cro-Magnon, en Dordogne. Les hommes d'aujourd'hui appartiennent tous à cette espèce humaine.

1 } Un homme moderne

Cro-Magnon ressemble beaucoup aux hommes actuels. Sa face est plate et son front, haut. Il a un cerveau plus gros que le nôtre et mesure 1,80 m en moyenne. Il est plus fin que Neandertal. Il vit en clan d'une vingtaine de personnes.

2 } Des outils de plus en plus sophistiqués

Chasseur et cueilleur nomade, *Homo sapiens* mange équilibré : son menu se compose de gibiers divers (aurochs, chevreuils, sangliers...), de poissons, de fruits, de racines et de baies. Il met au point des outils très efficaces pour la chasse : par exemple le propulseur, qui permet de lancer une sagaie plus loin et plus fort. Il coud ses vêtements grâce à une invention très pratique : l'aiguille à chas, fabriquée en os.

3 } Un artiste complet

Cro-Magnon est le premier homme à peindre, graver et sculpter toutes sortes de motifs : des animaux, des scènes de chasse, des femmes, des mains, des signes géométriques et quelques rares visages. Il peint sur les murs des cavernes, dont il utilise le relief. Il sculpte de nombreuses statuettes féminines en os, en ivoire ou en pierre. Elles mesurent entre 10 et 20 cm et ont toutes des seins et des ventres proéminents. Ces sculptures étaient sans doute des symboles de féminité.

Tout pour la musique !

Homo sapiens joue aussi de la flûte et du sifflet. En 2008, les morceaux de trois flûtes taillées dans des os de vautour, de cygne et de mammouth ont été découverts en Allemagne. Ils datent de - 35 000 ans.

Les premiers paysans

Vers - 5 000 ans, les hommes vivant en Europe se sédentarisent et construisent les premiers villages. Ils ne sont plus des chasseurs-cueilleurs comme leur ancêtre Cro-Magnon. Ils produisent leur nourriture en cultivant des plantes et en élevant des animaux pour les manger.

- 40 000	- 30 000	- 10 000	- 6 000	- 3 200
Cro-Magnon (*Homo sapiens*) est en France.	Disparition de Neandertal.	Débuts de l'agriculture et de l'élevage au Moyen-Orient.	Apparition des premières pierres polies et construction des premiers mégalithes.	Invention de l'écriture par les Sumériens. Fin de la préhistoire et début de l'Antiquité.

52 avant J.C.

Vercingétorix
face à Jules César

Vercingétorix, un chef gaulois, prend la tête d'une grande révolte contre l'armée romaine, dirigée par Jules César. Bientôt, il est encerclé avec ses hommes à Alésia, la ville fortifiée où il s'est réfugié.

Avec des milliers de guerriers, le chef gaulois Vercingétorix s'est réfugié à Alésia, une cité fortifiée.

Voilà des années que Jules César rêve de conquérir toute la Gaule.

Nous attaquerons César et ses légions de face, et nos alliés l'attaqueront par l'arrière.

Les habitants tuent des cochons pour constituer des réserves de nourriture.

Nous avons de quoi tenir plusieurs semaines.

Il faudra rationner le blé.

Le forgeron fabrique des armes.

Avec ces épées aucun Romain ne nous résistera.

De leur côté, les légionnaires romains fortifient leurs défenses jour et nuit.

Plus tard, nous installerons des pièges.

Plus pointu, ce tronc !

Pendant ce temps, Jules César réfléchit à une stratégie.

Construisons des remparts pour encercler Alésia et pour stopper leurs secours.

Quelques jours plus tard, Vercingétorix décide de faire sortir les cavaliers d'Alésia.

Nous n'avons pas besoin de vous ici.

La nuit, la cavalerie s'éloigne sans alerter les sentinelles romaines.

Ils auront bientôt bouclé tous les accès.

Silence !

Quelques semaines après, Vercingétorix réunit un grand conseil.

Nous sommes encerclés par les Romains.

Les renforts tardent. Les vivres manquent.

Il faut sacrifier les bouches inutiles.

Bientôt, les femmes, les vieillards et les enfants sont chassés...

Qu'allons-nous devenir ?

Pendant des jours, ils errent sans vivres au pied d'Alésia.

Les Romains n'ont pas voulu nous laisser passer.

Nous allons tous mourir.

Soudain, un matin, les renforts gaulois surgissent par milliers au sommet d'une colline. Leurs cris alertent les Romains.

Centurions, rassemblez vos hommes !

Bientôt, des Gaulois grimpent le long de la palissade romaine avec des cordes.

YA-AAAH !

D'autres Gaulois, armés d'épées, les relaient.

Repliez-vous ! Les Romains vont nous massacrer !

Le surlendemain, Vercingétorix et ses guerriers dévalent la colline…

C'est l'heure du combat décisif.

… et recouvrent les pièges romains avec des fagots.

HOURRA ! Nous progressons !

Impossible de les couvrir tous !

Les attaquants percent une brèche dans la palissade. Les guerriers luttent corps à corps.

Gare aux archers au sommet des tours !

AARGH !

Sans cesse, Jules César conduit les renforts romains vers les points menacés.

L'armée de secours gauloise se disperse.

La victoire est proche !

Bientôt, Vercingétorix et ses guerriers blessés se replient vers Alésia.

Quel carnage ! Nous avons perdu de peu…

Le lendemain de la défaite gauloise, Vercingétorix et les autres chefs sont livrés à Jules César.

Vous, vous serez emprisonné à Rome. Les autres seront vendus comme esclaves !

La vie quotidienne des Gaulois

Au Ier siècle avant Jésus Christ, la Gaule est le plus vaste et le plus riche pays du monde celtique. Ses habitants sont célèbres pour leur savoir-faire dans les métiers du bois, du métal et de la céramique.

1) Qui sont les Gaulois ?

Les Gaulois regroupent une soixantaine de tribus d'origine celte : les Arvernes, les Éduens, les Séquanes... Chaque tribu vit sur un territoire composé de villages et d'une cité, la capitale. Elle est dirigée par un chef politique et un chef religieux. Certains Gaulois, comme les Éduens, sont les alliés des Romains. Ils servent dans l'armée romaine.

La Gaule au Ier siècle avant J. C.

Les Gaulois vivent sur un territoire un peu plus grand que la France actuelle : la « Gaule chevelue », ainsi baptisée à cause de ses nombreuses forêts. Le sud de la Gaule est une province romaine appelée « Gaule transalpine ».

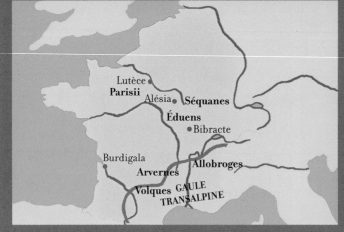

Un nom d'origine latine

Ce sont les Romains qui ont donné aux peuples qui habitaient la Gaule le nom de Gaulois. Le mot *galli*, en latin, apparaît pour la première fois au IVe siècle avant J. C. Les Gaulois avaient la réputation d'être de féroces guerriers.

Les Celtes, ancêtres et cousins des Gaulois

Avant les Gaulois, il y avait les Celtes. Ces populations venues d'Europe centrale se sont installées en Gaule au Ier millénaire avant J. C. Les Celtes vivaient en tribus, dirigées chacune par un chef religieux et politique. Chaque tribu habitait dans une citadelle bâtie sur une hauteur appelée *oppidum* en latin. Les Celtes parlaient probablement tous la même langue.

2) Des cités commerçantes

Les villes gauloises sont construites au sommet de collines ou au bord de fleuves. Entourées de remparts et de fossés, elles peuvent abriter jusqu'à 10 000 habitants : c'est le cas de Bibracte, la capitale des Éduens. Les maisons sont en bois, chaume et torchis, parfois en pierre. Les rues sont bien entretenues et accueillent des marchés où marchands gaulois et étrangers viennent vendre leurs produits.

Les Parisii, futurs Parisiens

Cette tribu habite à Lutèce. Cette petite cité installée sur une île est très prospère grâce au commerce de l'étain avec le nord de la Gaule.

3 ⟩ D'excellents paysans et artisans

Les Gaulois cultivent légumes et céréales, élèvent bœufs, moutons et porcs. Ils produisent du fromage et du beurre. Ils travaillent toutes sortes de métaux (or, argent, bronze) avec lesquels ils fabriquent des chars, des chaudrons et des bijoux. Tous ces produits sont vendus aux Romains, en échange de vin et d'huile.

Inventeurs d'outils

Les Gaulois étaient de formidables forgerons. Ils ont inventé de nombreux objets : la serpe, la faux, le rasoir, la charrue, le tonneau…

La mode gauloise

Les Gaulois soignent leur apparence. Ils se lavent avec une sorte de savon fait de cendre et de suif et se décolorent les cheveux avec de l'eau de chaux pour les rendre plus dorés. Ils portent des vêtements en lin et en chanvre, qu'ils tissent et teignent de couleurs vives ou de motifs géométriques. Avec la laine, ils fabriquent les braies, espèce de pantalons larges, ainsi que des chemises, des tuniques et des manteaux à capuche. Les femmes agrémentent leur tenue de fibules (sorte d'épingles de nourrice) et de bijoux en pâte de verre colorée.

Les reines de la sécurité routière

Certaines divinités gauloises ont des « missions » très précises. Par exemple, les déesses des carrefours assurent la tranquillité des routes ! Dans les représentations que l'on a retrouvées d'elles, elles sont parfois accompagnées de serpents.

4 ⟩ Des dieux et des druides

Les Gaulois croient en une multitude de divinités liées à des éléments de la nature, comme les sources, les montagnes, les grottes ou les lacs. Ils ont des prêtres guérisseurs : les druides. Ce sont des savants très respectés qui interviennent dans la vie politique. Les druides savent écrire : ils utilisent l'alphabet grec. Ils possèdent des connaissances en botanique, médecine, astronomie… Ils rendent la justice et éduquent les enfants nobles.

5 ⟩ Vercingétorix

En 58 avant J.C., Jules César veut conquérir toute la Gaule. Vercingétorix est le chef des Arvernes, un peuple de l'actuelle Auvergne. Pour mieux résister aux Romains, les représentants gaulois l'élisent comme chef unique. Vercingétorix propose aux Gaulois de détruire leurs réserves de grain et de brûler leurs villages, pour affamer l'armée romaine. Après une victoire à Gergovie, Vercingétorix et ses guerriers sont encerclés par les Romains à Alésia.

125 av. J.C.	58 av. J.C.	52 av. J.C.	46 av. J.C.
Les Romains s'installent en Gaule transalpine.	Jules César part à la conquête de toute la Gaule.	Au mois d'août bataille d'Alésia. La Gaule tout entière devient romaine.	Vercingétorix meurt étranglé dans sa prison à Rome.

Repères

21

Sur le chantier du pont du Gard

Vers l'an 50, les Romains entreprennent la construction
d'un aqueduc qui doit transporter l'eau jusqu'à Nîmes.
Pour les habitants, c'est un immense progrès : ils n'auront plus
à marcher des kilomètres pour trouver une fontaine !

Nîmes. Chaque matin, la mère d'Octavius l'envoie au puits.

Surtout, ne casse pas la jarre !

Je pars travailler sur le chantier du pont du Gard.

Le puits est loin.

Sur le pont, il y aura un aqueduc qui transportera de l'eau jusqu'ici.

Super !

À l'entrée du puits, il y a la queue.

Et il faut toujours attendre...

Octavius remplit sa jarre. Un porteur d'eau l'interpelle.

Je vais t'aider à la ramener chez toi.

Merci mais je n'ai pas d'argent.

À son retour

Je vais laver le linge. Il faut retourner au puits.

Pendant ce temps, Gedomo, le père d'Octavius et d'autres ouvriers approchent du chantier. Leur chariot dépasse des légionnaires romains.

Ces hommes vont travailler avec nous.

Il paraît qu'ils ont construit des routes, des ponts partout, à Rome, en Gaule...

Sur le chantier du pont du Gard, les chefs d'équipe écoutent les instructions de l'architecte.

Maintenant, il faut attaquer le deuxième étage ainsi que l'aqueduc.

Gedomo donne un coup de main à ses ouvriers.

Passez-moi ce ciseau !

Des apprentis encordent une pierre taillée.

Au 1er étage du pont, quatre hommes grimpent dans une roue...

À nous de hisser la pierre !

... et l'actionnent avec leurs bras et leurs jambes.

HO ! HISSE !

Grâce à la force des hommes, la grue monte la pierre.

À droite, à gauche... PARFAIT !

Deux ans plus tard. Au sommet, les maçons terminent l'aqueduc.

Avec cet enduit, les parois de l'aqueduc seront étanches.

Puis des ouvriers couvrent l'aqueduc.

Cette dalle pèse plus qu'une tonne !

Le pont du Gard est enfin terminé. L'architecte et le curateur* inspectent l'aqueduc.

Cinq ans de travaux ! Mais quel ouvrage magnifique !

Dans quelques heures, l'eau coulera dans les fontaines de Nîmes !

* Inspecteur

Les deux hommes se penchent au-dessus d'une ouverture, un «regard».

L'eau monte doucement.

Quelle catastrophe si quelqu'un y versait du poison !

À l'entrée de l'aqueduc, le curateur poste une sentinelle.

Je veux qu'il soit gardé nuit et jour.

Le lendemain, à Nîmes, Octavius, sa famille et tous les habitants du quartier guettent l'arrivée de l'eau.

Une fontaine à 50 mètres de la maison, ça va nous changer la vie !

Il paraît qu'on va ouvrir des bains publics.

Soudain l'eau jaillit !

HOURRA !

FIN

Au temps de la Gaule romaine

Commencée en 121 avant Jésus Christ, achevée en - 52 par Jules César, la conquête de la Gaule par les Romains donne naissance à un nouveau peuple : les Gallo-Romains.

1) Une nouvelle organisation

Après la conquête, la Gaule est divisée en trois provinces, la Belgique, la Lyonnaise et l'Aquitaine, qui s'ajoutent à la Narbonnaise (ancienne Gaule transalpine), déjà romaine. Chaque province est elle-même composée de plusieurs territoires. Dans chaque territoire, la plus grande ville devient un chef-lieu où se trouve le conseil de la cité présidé par un chef de tribu gaulois fidèle aux Romains.

La soif de conquête des Romains

Depuis sa fondation vers le VIII siècle avant J.C., Rome étend son pouvoir grâce à sa puissante armée. Elle conquiert d'abord l'Italie, la Grèce et l'Égypte. Au I siècle avant J.C., elle s'impose en Gaule et sur l'ensemble des pays qui bordent la Méditerranée. Au II siècle après J.C., l'Empire romain couvre un territoire de 4 millions de km².

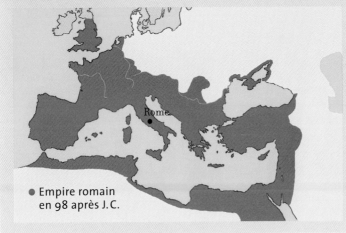

Rome

● Empire romain en 98 après J.C.

Des frontières bien gardées

Avec la conquête, les frontières de la Gaule sont renforcées. L'Empire romain est protégé par le limes, une ligne de défense de plus de 5 000 kilomètres. Le limes est constitué d'obstacles naturels tels que les fleuves ou les déserts, et de constructions : villes fortifiées, murs, tours de guet ou fossés. Des légionnaires y montent la garde en permanence.

2) Des villes plus grandes

Les Romains modifient les paysages de la Gaule et la modernisent. Ils agrandissent les villes existantes ou en construisent de nouvelles sur le modèle de Rome. L'une d'elles, Lyon, devient la capitale. Chaque ville comporte deux grandes rues perpendiculaires, une place centrale, le forum, et des bâtiments publics. Les maisons en pierre aux toits de tuile remplacent celles en bois et en chaume. Les fontaines publiques sont alimentées par des aqueducs. La plupart des villes gallo-romaines n'ont plus de fortifications.

Des routes très fréquentées !

Les Romains construisent des routes, des ponts et des tunnels pour faciliter le passage des armées et le commerce. La Gaule compte une demi-douzaine de voies principales jalonnées d'auberges pour l'accueil des voyageurs. Larges de 8 mètres, elles sont l'équivalent de nos autoroutes. Des bornes installées tous les 1,5 kilomètre indiquent la distance jusqu'à la prochaine ville.

3 } De riches campagnes

Les Gallo-Romains défrichent des forêts pour cultiver davantage. Ils augmentent la production des céréales grâce à l'invention de la moissonneuse. Ils cultivent la vigne et l'olivier. Les riches propriétaires construisent de grandes fermes : les *villae urbanae*. Situées au centre de grands domaines agricoles, elles sont décorées de mosaïques, de marbre et de stuc. Parfois, elles sont équipées de bains privés et de jardins. Il existe aussi des fermes plus modestes, tenues par de simples paysans.

Une villa gallo-romaine exceptionnelle

Des fouilles archéologiques ont mis au jour l'une des plus grandes villas gallo-romaines jamais découvertes : la villa de Montmaurin, dans les Pyrénées. Elle comportait 200 pièces réparties autour de cours et de jardins, des appartements d'été avec terrasses et divers ateliers (forge, tuilerie-briqueterie, atelier de tissage). On pense qu'environ 500 personnes y travaillaient.

Place au spectacle !
Les Gaulois adoptent vite l'habitude des Romains d'aller au spectacle. Ils fréquentent les amphithéâtres et les cirques où se déroulent les combats d'animaux ou de gladiateurs et les courses de char. Au théâtre, ils découvrent la comédie et la tragédie, les mimes et les ballets. Plusieurs arènes et théâtres datant de l'époque gallo-romaine sont encore bien conservés, à Nîmes, Arles, Vaison-la-Romaine ou Orange.

4 } Rome, le modèle à suivre

Peu à peu, les anciens Gaulois se romanisent. Ils apprennent à lire et à écrire le latin. Ils se lavent aux bains publics où ils prennent plaisir à traiter leurs affaires, bavarder ou se détendre. Ils prennent goût aux fruits, aux légumes et au blé qui remplace le seigle ou l'orge. Certains aristocrates gallo-romains obtiennent le statut de citoyen romain, en récompense de leurs services, et s'habillent avec une toge.

Des bains publics

Les Romains se lavaient aux thermes. Ces bains publics comportaient quatre salles, avec, dans chacune d'elles, des bassins d'eau à des températures différentes. Les thermes étaient ouverts à tous, esclaves ou hommes libres, femmes et enfants. On pouvait s'y faire masser, pratiquer du sport ou consulter des livres à la bibliothèque.

5 } Des dieux romanisés

Les empereurs romains se méfient du pouvoir des druides : ils leur interdisent d'exercer leurs fonctions. Les Gaulois gardent tout de même le droit d'honorer leurs dieux et de déposer des offrandes dans leurs sanctuaires. Au fil du temps, ils finissent par adopter les dieux romains comme, par exemple Mercure, le protecteur des commerçants et des voyageurs. Ils reconstruisent leurs lieux de culte à la romaine.

Un empire de plus en plus fragile

À partir du IIIe siècle, le pouvoir de l'empereur est contesté.
Des révoltes éclatent dans plusieurs provinces romaines.
Aux frontières, les peuples barbares menacent.

1 } Un empire trop grand

En 280, l'Empire romain est immense. Pour maintenir son autorité,
Rome augmente le nombre de ses soldats et de ses fonctionnaires. Mais cela coûte cher et le peuple doit payer davantage
d'impôts. Des révoltes éclatent. À l'intérieur de la Gaule, des
pillards, les Bagaudes, ravagent les campagnes. À l'extérieur, les
frontières sont menacées par des peuples barbares : les Goths,
les Saxons et les Francs.

Barbare, vous avez dit barbare ?

Pour les Romains, le mot
« barbare » signifie « étranger ».
Les Barbares ne parlent pas latin
et font partie des peuples
qui vivent aux frontières
de l'Empire romain. Ce terme
désigne particulièrement
les peuples germaniques,
comme les Saxons, les Alamans,
les Burgondes, les Vandales,
les Ostrogoths ou les Wisigoths.

2 } Une religion très gênante

L'empire est aussi menacé par
le christianisme, une nouvelle
religion venue de la province
romaine de Judée et propagée
par les marchands. Les chrétiens ne croient qu'en un seul
Dieu. Ils refusent d'honorer les
divinités romaines, de participer au culte de l'empereur
et de porter les armes. Ils critiquent le luxe et les loisirs
chers aux Romains.

Les persécutions des chrétiens

Le christianisme arrive
en Gaule à partir du IIe siècle,
à Lyon, Reims puis Toulouse.
Il se propage ensuite dans les
autres grandes villes du pays.
Les Romains combattent cette
nouvelle religion en persécutant
ses adeptes. Quarante-huit
d'entre eux sont torturés
et massacrés à Lyon en 177.
Parmi eux, Blandine est la
plus célèbre.

3 } Des Barbares pour chasser les Barbares

En 406, l'Empire romain
d'Occident est envahi par des
peuples nomades, les Alains,
les Vandales et les Suèves. Pour
les repousser, Rome autorise
des Barbares fidèles tels que
les Francs, les Burgondes ou les
Wisigoths à s'installer sur son
territoire. Mais au fil du temps,
ces peuples prennent de plus
en plus de pouvoir au sein de
l'armée romaine. Ils fondent
de véritables royaumes au sein
même de l'empire.

4) L'attaque des Huns

Au Vᵉ siècle, l'Empire romain d'Occident est de nouveau attaqué, cette fois par les Huns, un peuple de cavaliers originaires d'Asie centrale. Ces nomades, qui habitent dans des tentes en peau et se déplacent en suivant les prairies, sont dirigés par Attila. Ce chef redoutable pénètre en Gaule en 451 et pille plusieurs villes.

Sainte Geneviève contre Attila

En 451, Attila pénètre en Gaule et ravage la ville de Metz. Les habitants de Lutèce tremblent : ne vont-ils pas à leur tour subir les attaques du chef des Huns ? Alors que beaucoup veulent fuir, Geneviève, une jeune fille de 28 ans, les convainc de rester à Lutèce, d'organiser la résistance et de prier Dieu. Le « miracle » se produit : Attila ne vient pas. Geneviève deviendra la sainte patronne de Paris.

5) La victoire des champs catalauniques

Face à la menace des Huns, le général gallo-romain Aetius s'allie aux barbares installés en Gaule. La bataille décisive se passe en Champagne, le 20 juin 451. Elle dure plusieurs jours et se termine par la défaite d'Attila qui se retire. L'Empire romain d'Occident, trop affaibli, n'est pas sauvé pour autant. Au contraire : Wisigoths, Francs et Burgondes en profitent pour étendre leur territoire en Gaule.

La fin de l'Empire romain

À la mort de l'empereur Théodose Iᵉʳ, en 395, l'Empire romain est partagé entre ses deux fils. À l'Ouest, l'Empire romain d'Occident, avec Ravenne pour capitale. À l'Est, l'Empire romain d'Orient, avec Constantinople pour capitale. L'Empire romain d'Occident ne résiste pas aux invasions barbares qui se succèdent. En 476, le dernier empereur de Rome, un enfant de 10 ans, est détrôné. C'est la fin de l'Empire d'Occident, qui correspond à la fin de l'Antiquité.

6) De nouveaux royaumes

Après la chute de l'Empire romain, les Wisigoths et les Burgondes s'installent dans la région de Toulouse, en Espagne et dans l'actuelle région Rhône-Alpes. Ils rétablissent les institutions gallo-romaines et créent des royaumes stables. Ils seront peu à peu soumis par les Francs à partir du règne de Clovis.

177	Vers 280	395	451	476
Massacre de quarante-huit chrétiens à Lyon.	Premières révoltes à l'intérieur de l'Empire romain.	L'empire se sépare en deux : à l'Ouest, l'Empire romain d'Occident ; à l'Est, l'Empire romain d'Orient.	Le chef des Huns Attila attaque la Gaule.	Fin de l'Empire romain d'Occident.

Repères

Clovis, premier roi des Francs

Au Ve siècle, Clovis est le roi des Francs,
un peuple de guerriers germaniques. Découvre comment
ce conquérant est devenu un roi chrétien.

Au coeur de la bataille

Ô Jésus Christ, fils de Dieu, accorde-moi la victoire et je croirai en toi !

Nous sommes pris au piège !

Quand soudain...

Notre chef est touché à mort !

Un peu plus tard

Les Alamans prennent la fuite.

Fuyons !

Hourra, victoire !

À Soissons, au palais de Clovis et de sa femme, la reine Clotilde

Je ne croyais pas en Dieu avant cette bataille.

Alors que moi, je suis déjà une chrétienne.

Maintenant, tu dois te faire baptiser comme les chrétiens. Remi, l'évêque de Reims va t'enseigner cette religion.

Le jour de Noël, à Reims...

C'est un grand jour pour Clovis.

Oui, il se fait baptiser le jour de la naissance de Jésus.

Cette eau rappelle celle du fleuve Jourdain, en Palestine, où Jésus a été baptisé.

Je te baptise Clovis, roi des Francs.

Désormais, tu dois abandonner le culte des idoles et croire en un seul Dieu.

Puis 3000 guerriers se font baptiser.

Nous ne serons plus des Barbares...

Et nous aurons la même religion que les Gallo-Romains qui vivent dans le royaume franc.

Dans la cathédrale

Je suis le premier roi chrétien d'Occident.

Fin

Des tribus franques
aux rois mérovingiens

D'abord au service des Romains, les Francs fondent
leur propre royaume après la fin de l'empire romain.
C'est le début du Moyen Âge, appelé le haut Moyen Âge.

Le premier roi mérovingien

Clovis fonde
la dynastie des
Mérovingiens.
Ce nom viendrait
de Mérovée, un
ancêtre de Clovis
dont l'existence
n'est pas certaine.
Les Mérovingiens
règnent sur la
Gaule jusqu'en 751,
date à laquelle
les Carolingiens
les remplacent.
Ces rois sont
connus sous
le nom de « rois
fainéants », un
surnom injustifié
qui leur a été donné
par les historiens
du XIXᵉ siècle.

1 } Qui sont les Francs ?

Les tribus franques, d'origine germanique, vivaient
sur le territoire de l'actuelle
Allemagne, à la frontière de
l'Empire romain puis, à l'intérieur même de l'empire. Après
la fin de l'empire, les Francs
étendent peu à peu leur territoire vers la Belgique actuelle
et la Gaule.

2 } Clovis le conquérant

Quand Clovis monte sur le trône en 481,
il n'y a plus d'empereur romain d'Occident
(voir encadré p. 29). La Gaule est presque
entièrement aux mains de tribus « barbares ». Seul le général romain Syagrius
règne encore sur un petit territoire qui
correspond à l'est de la région parisienne.
Clovis s'en empare et fait de Paris sa capitale. Il gagne ensuite plusieurs batailles
décisives et étend son royaume.

3 } L'alliance avec l'Église

Vers 496, Clovis, qui est païen, se fait baptiser. Il est influencé par son épouse Clotilde,
une princesse chrétienne. Mais ce n'est
pas la seule raison. En devenant chrétien,
Clovis s'assure le soutien du pape et des nobles gallo-romains
chrétiens face aux Wisigoths et aux Burgondes, non baptisés,
qui occupent le reste de la Gaule. À la mort de Clovis, les Francs
ont soumis presque toutes les tribus barbares en Gaule.

La progression des Francs

Le royaume franc en 481

● Le royaume franc
à la mort de Clovis (511)

Tournai
Soissons
Paris Reims

BURGONDES

OSTROGOTHS

WISIGOTHS

4 } La fin des Mérovingiens

Les rois qui succèdent à Clovis et ses fils ne s'entendent pas.
Le royaume est divisé en plusieurs provinces, dont certaines,
l'Aquitaine, la Bretagne ou la Provence, deviennent de plus en
plus indépendantes. Les Mérovingiens perdent de leur pouvoir,
remplacés peu à peu par les « maires du palais ». Ces hommes
sont des sortes d'intendants chargés de faire régner l'ordre et
d'appliquer les lois. Charles Martel, le grand-père de Charlemagne
(voir p. 41), est l'un d'eux.

476	481-511	524	613-639	751
Fin de l'Empire romain d'Occident.	Règne de Clovis.	Partage du royaume franc en quatre nouveaux territoires : Neustrie, Austrasie, Aquitaine et Bourgogne.	Clotaire II et son fils Dagobert rétablissent l'unité du royaume franc.	Abdication du dernier roi mérovingien.

Repères

À l'école de Charlemagne

Charlemagne règne sur un empire immense
qui s'étend sur une grande partie de l'Europe de l'Ouest.
Pour gouverner, il a besoin d'hommes instruits.

DONG !
DONG !

En 799, dans un monastère au nord-est du royaume franc...

Il devrait être là depuis des heures... Vais-je le reconnaître ?

Monsieur l'abbé, Charlemagne arrive !

Le peuple n'est pas assez instruit. Il faut fonder d'autres écoles et former des maîtres.

Moi, je sais lire, et bientôt écrire ! Et toi ?

Hum, je sais à peine tracer des lettres... Mais je parle un peu le latin !

Plus loin...

Cet écolier ferait un excellent copiste.

Et celui-ci semble adorer les animaux.

Ces deux-là sont doués.

Radulf a 12 ans, et Anselin, 11 ans. Ils aiment s'instruire et sont curieux de tout.

Vos parents vous laisseraient-ils partir faire des études ?

Les miens sont des paysans sans terre. Si je pars, ça fera une bouche de moins à nourrir.

Et moi, je suis orphelin. Radulf est comme mon frère !

En fin d'après-midi, à la chapelle...

Domnm Laudate semper Dominum...

C'est beau ! Ils feront de bons chrétiens.

Quelle journée ! Mais le roi semble content...

Un an plus tard, à Aix-la-Chapelle, la capitale de Charlemagne

Ce palais ressemble à une ville !

Les architectes se sont inspirés de Rome.

Rome, c'est bien là que vit le pape que Charlemagne est allé soutenir ?

Tu aimes notre nouvelle vie ?

Il faut se lever tôt, prier, travailler dur. Mais c'est mieux que d'être mendiant.

Les enfants des nobles n'ont pas école ?

Ils ont des maîtres rien que pour eux. En plus, ils apprennent à combattre !

Dans le scriptorium...

Tes lettres sont mieux formées qu'avant, Radulf...

Applique-toi et mets plus d'encre.

Mais il fait si froid qu'elle gèle !

Bientôt, tu pourras recopier des passages de la Bible.

Et toi, Anselin, où en es-tu ?

Je vais mettre du blanc.

Bonne idée. ça camouflera le jaune du parchemin.

Tu deviens un enlumineur de talent !

Merci, maître.

Le scriptorium est l'atelier des copistes et des enlumineurs ...

Un moine corrige des fautes de grammaire ou d'orthographe faites par d'autres copistes.

La copie permet de conserver les connaissances de l'Antiquité et les Livres saints.

Cette peau de veau fera un très beau parchemin.

Les premiers ouvrages de grammaire sont écrits à cette époque.

Un moine copie un manuscrit religieux en latin. C'est une bible ou un livre sur la vie d'un saint.

Les couvertures les plus riches sont décorées de cuir, de feuilles d'or ou de petits personnages en os ou en ivoire.

... que Charlemagne prend plaisir à visiter.

Quelle patience ! Vos travaux vont favoriser les connaissances.

Mon jeune ami, il faut te divertir ! Je t'invite dans mes appartements.

Et le soir, en compagnie des proches de Charlemagne...

Qu'est-ce qu'une année ?

Un char à quatre roues !

À toi, Radulf, propose une devinette !

Deux ans plus tard...

Bonjour, Charlemagne !

Radulf ! Anselin ! Retrouvez-moi au palais, je profite encore un peu de l'eau chaude. Les longues chevauchées me fatiguent de plus en plus.

Au palais...

Depuis que le pape m'a couronné empereur d'Occident, je dois gouverner un vaste territoire.

Radulf, voilà pourquoi tu vas partir en mission dans l'empire et parler en mon nom.

Et toi, Anselin, va dispenser ton savoir au monastère de Saint-Denis près de Paris.

Je serai vos yeux et vos oreilles.

Je vous jure fidélité et obéissance.

Écris ce que je te dis...

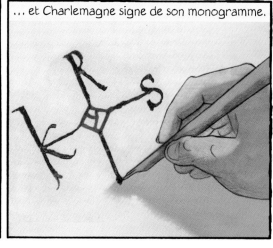

... et Charlemagne signe de son monogramme.

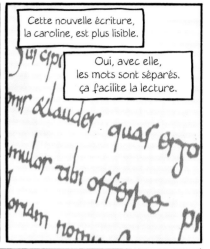

Charlemagne, maître de l'Occident

Durant son règne, Charlemagne recrée en Europe un vaste empire. En l'an 800 il se fait couronner empereur d'Occident par le pape Léon III.

1) Une famille de combattants

Charlemagne n'est pas devenu empereur par hasard. Avant lui, son grand-père, Charles Martel, et son père, Pépin le Bref, ont pris le pouvoir sur les derniers rois mérovingiens. Charles Martel est devenu puissant après avoir repoussé à Poitiers des troupes musulmanes venues d'Espagne (voir encadré). Son fils, Pépin le Bref, lui succède. Il se fait sacrer roi avec la bénédiction du pape et fonde une nouvelle dynastie : les Carolingiens.

2) Un conquérant impitoyable

En 768, Charlemagne devient roi des Francs. Pendant des années, au nom de Dieu, il combat les Lombards, un peuple d'Italie du Nord, les musulmans en Espagne, ou encore les Saxons, un peuple de Germanie. Il oblige les habitants des pays vaincus à adopter sa foi, la religion chrétienne. Il pille les trésors de ses ennemis.

La construction d'un empire
- Royaume franc en 768
- Empire de Charlemagne en 814

Charlemagne choisit pour capitale la ville d'Aix-la-Chapelle, aujourd'hui située en Allemagne.

3) Un empire bien organisé

Charlemagne divise le pays en comtés, dont il confie la direction à des évêques et à des comtes. Les comtes jurent fidélité à l'empereur : ils deviennent ses vassaux. Ils sont chargés d'appliquer les lois. Pour s'assurer qu'ils font bien leur travail, Charlemagne les fait surveiller par des *missi dominici* : des inspecteurs. Les *missi dominici* voyagent par deux : l'un est un laïc, l'autre, un religieux. Ils lisent et écrivent le latin.

Des lois écrites

Durant son règne, Charlemagne fait écrire les lois qu'il promulgue : ce sont les capitulaires. Ces textes sont rédigés par des prêtres et des conseillers de l'empereur. Les capitulaires abordent toutes sortes de sujets : la justice, les impôts, la monnaie… C'est par l'intermédiaire d'un capitulaire que Charlemagne informe les prêtres de sa volonté de créer des écoles dans les monastères de l'empire.

La naissance de l'islam

Au VIIe siècle, une nouvelle religion apparaît en Orient. Il s'agit de l'islam, pratiquée par les musulmans. Elle est apparue avec Mahomet. Cet homme naît en 570 à La Mecque, une cité marchande d'Arabie. Vers l'âge de 40 ans, alors qu'il prie, il entend une voix qui lui dit : « Tu es l'envoyé de Dieu » (*Allah*, en arabe). Jusqu'en 632, date de sa mort, Mahomet diffuse le message d'Allah. Il fait de La Mecque la ville sainte de l'islam ainsi qu'un lieu de pèlerinage. Après sa mort, ses successeurs, les « califes », conquièrent de nouvelles terres, parmi lesquelles l'Espagne et quelques villes françaises : Carcassonne, Narbonne et Nîmes.

La vie au temps des Carolingiens

1) Tous paysans

Au Moyen Âge, en Europe, plus de 95 % de la population vit à la campagne. Les paysans habitent des maisons dispersées ou regroupées dans des hameaux dirigés par un maître. Leurs maisons sont faites de terre et de paille – le torchis –, et de bois. Chaque maison a une étable. Des fours creusés dans la terre et des greniers à grain servent à plusieurs habitations. Les paysans sont soit libres : ce sont les vilains ; soit attachés à la terre et vendus avec elle : ce sont les serfs (esclaves).

3) Des moines plus nombreux

Les monastères se développent. Les moines y vivent isolés du monde, dans le respect de leurs vœux de pauvreté et de chasteté. Leur rôle est très important : ils soignent les malades et hébergent les voyageurs. Ils cultivent les terres abandonnées et élèvent des animaux. Surtout, étant les seuls à savoir lire et écrire, ils recopient et enluminent des manuscrits anciens. Grâce à leur travail, le savoir accumulé par les anciens n'est pas oublié.

Qui sont les Bénédictins ?

Ce sont des moines qui obéissent à la règle de saint Benoît. Ce moine a créé l'ordre des Bénédictins en 529, lorsqu'il s'est installé avec d'autres moines au monastère du Mont-Cassin, en Italie. Benoît a proposé aux moines de partager leur temps entre le travail manuel, la prière, le chant et l'étude. De nombreux monastères en Europe et en France ont ensuite adopté cette nouvelle règle de vie.

2) Les villes se développent

Les comtes construisent des châteaux sur des hauteurs appelées « mottes ». Ces édifices sont en bois. Des villages se développent autour. Dans les villes, les évêques habitent dans des quartiers qui leur sont réservés : le quartier cathédrale. La maison de l'évêque y est entourée d'une ou plusieurs églises, d'une école, d'une auberge et de bâtiments qui abritent réfectoire, cloître et salle de prière. C'est là que vivent les prêtres et les chanoines.

4) La menace viking

À partir du règne de Charles le Chauve (petit-fils de Charlemagne), des envahisseurs venus de l'Europe du Nord multiplient les raids : ce sont les Vikings, appelés aussi « Normands ». Excellents navigateurs, ils attaquent les côtes et remontent les fleuves à bord de leurs drakkars. Ils pillent et incendient les monastères et attaquent plusieurs villes : Paris, Nantes, Bordeaux... Après des années de pillages, une partie des Vikings s'installe en France, avec l'accord du roi. Leur territoire prend le nom de... Normandie.

Un empire morcelé

Après la mort de Charlemagne en 814 puis celle de son fils en 840, l'Empire carolingien est partagé entre les petits-fils de l'empereur à l'occasion du traité de Verdun, signé en 843.

Les Capétiens, une nouvelle dynastie

En 987, Hugues Capet est sacré roi des Francs par l'archevêque de Reims. Les Capétiens remplacent les Carolingiens. Ils resteront à la tête du royaume pendant... 800 ans !

1 Hugues Capet, un roi élu

Hugues Capet n'est au départ qu'un seigneur parmi d'autres. Mais à la mort du dernier roi carolingien, Hugues Capet est soutenu par l'évêque de Reims, Adalbéron. Il est élu roi par les évêques et les grands seigneurs sous le nom de Hugues Ier. Pour assurer le pouvoir de sa famille, il désigne son fils comme son successeur au trône. Son nom, Capet, donne naissance à la dynastie des Capétiens. Désormais, tous les autres seigneurs sont théoriquement ses vassaux et lui doivent obéissance.

Les insignes du pouvoir
Lors de son sacre, Hugues Capet reçoit des mains de l'évêque un sceptre, une main de justice, une épée et des éperons. Ces insignes symbolisent ses missions : défendre l'Église, protéger les faibles, assurer la paix et rendre la justice au nom de Dieu.

2 Un royaume riquiqui

Son élection sur le trône de France ne fait pas d'Hugues Capet un roi puissant. Son royaume est tout petit, compris entre Senlis, Orléans puis Paris. La plupart de ses vassaux, par exemple le duc de Normandie, ont plus de pouvoir que lui ! Au fil du temps, Hugues Capet et ses successeurs parviennent pourtant à agrandir le domaine royal, malgré la rivalité naissante avec l'Angleterre (voir encadré ci-dessous).

Le domaine royal

- Domaine royal en 987
- Domaine royal en 1180

Paris — Senlis
Orléans

Hugues Capet fixe sa résidence principale à Paris, qui devient la capitale définitive du royaume. Deux siècles plus tard, en 1180, son descendant, Philippe II Auguste, hérite d'un royaume plus étendu.

Guillaume, le conquérant de l'Angleterre

En 1066, le duc de Normandie, Guillaume, débarque en Angleterre à la tête de 7 000 hommes. Guillaume n'est pas content : alors que la couronne d'Angleterre lui a été promise, Harold, son rival, est monté sur le trône à sa place ! Une grande bataille s'engage – la bataille de Hastings – au cours de laquelle Harold meurt. Couronné roi d'Angleterre, Guillaume le Conquérant devient l'un des plus riches souverains d'Occident. Ses descendants mèneront par la suite des guerres incessantes contre le royaume de France.

Une journée au moulin

Un matin de juillet, le meunier Jean s'en va au village livrer ses sacs de farine. Tous apprécient son travail essentiel pour la communauté. Tous, sauf le boulanger, qui le jalouse…

*«Aube rouge, vent ou pluie » : ce vieux dicton prédit la pluie ou le vent, quand le ciel du petit matin est rouge.

45

Le meunier est un personnage important du village. Il est jalousé par les paysans.

Le meunier part en balade.

En voilà un qui est riche !

Pour sûr, le meunier veuf, je l'épouserais bien, moi !

Salut, Gros Louis !

Salut, Jean !

Colin ! Tu es mitron, maintenant ?

Eh oui, Lison. J'apprends le métier de boulanger !

Salut, mère Mazas. Je vous livre de la farine de seigle et de froment.*

Fallait pas, maître Jean ! J'aurais envoyé le mitron !

Je passais devant chez vous en allant à l'abbaye.

Eh, le meunier ! Laisse ma femme tranquille !

Mais…

* Au Moyen Âge, les paysans cultivent différentes céréales : froment, seigle, avoine, orge…

Tout le village sait que tu triches sur le poids de la farine et que tu fais le galant avec les dames...

Au lieu d'écouter les ragots, surveille ton pain. Ça sent le brûlé !

Grrr !

En route, Grisou !

Colin, va porter cette commande au château.

Rassure-toi, petite. Ton père est un honnête homme.

T'en fais pas, va ! Le boulanger passe son temps à crier : sur moi, sur les clients, sur sa femme...

Jamais vu mon père aussi furieux !

Jean arrive à l'abbaye.

Dans ma colère, j'ai oublié ma Lison ! Elle rentrera à pied !

Maître Jean ! Enfin !

Il m'a fallu une journée entière pour moudre vos six sacs de méteil. Ce mélange de seigle et de froment est difficile à tamiser*.

Je sais que c'est un gros boulot, Jean. Gardez un sac de farine pour vous payer.

Pendant ce temps...

Je vais me venger !

*Tamiser : c'est séparer le son, c'est-à-dire l'enveloppe des grains de la farine.

47

Le père n'est pas là. Il faut que le fils sorte du moulin.

Un peu plus tard...

Robin ! Viens ! J'ai besoin de toi !

J'arrive, Mémé !

Le moulin va trop vite. Tout à l'heure, je réduirai les toiles qui sont sur les ailes.

C'est le moment...

Le boulanger fait tourner le moulin pour qu'il aille encore plus vite.

WOOOOUUOOOU OOUSHHH...

Ton moulin, ton moulin va trop vite !!! Pas assez à mon goût ! Maudit meunier, tu vas voir de quel bois je me chauffe !

Quand le vent souffle très fort, la meule de pierre tourne très vite. Des étincelles peuvent se produire, qui mettent le feu à la poussière de grain.

WOUUUSHH

CRRRRR

RRR

49

La société féodale

Sous les premiers Capétiens, le pays est morcelé en petits royaumes. L'insécurité règne dans les campagnes. La société est divisée en trois groupes sociaux qui ne se mélangent pas : ceux qui se battent (les seigneurs et les chevaliers), ceux qui prient (les hommes d'Église) et ceux qui travaillent (les paysans).

1) Seigneurs et guerriers : les nouveaux maîtres

Les derniers rois carolingiens, comme les premiers Capétiens, n'ont plus les moyens d'assurer l'ordre et la sécurité du pays. Ils perdent de leur autorité. Peu à peu, les propriétaires les plus riches s'approprient les pouvoirs du roi. Ils exercent la justice et prélèvent des impôts. Ils deviennent des seigneurs qui règnent sur un territoire. Ils prennent les titres de comte, de duc ou encore de marquis. Ils se font construire des châteaux forts.

2) L'Église, gardienne de l'âme

L'Église dicte aux chrétiens leur conduite (voir La France chrétienne, p. 62). Elle prie pour le salut des hommes. Elle oblige les chevaliers à protéger les plus faibles et à respecter les édifices religieux. Elle distribue des pénitences (punitions) ou exclut de la communauté des chrétiens ceux qu'elle considère comme des pécheurs (excommunication). Elle organise les pèlerinages. Les moines enseignent leurs connaissances à quelques nobles et aux futurs prêtres. Les religieuses soignent les malades.

3) Les paysans : une vie à travailler

La majorité des paysans, les vilains, dépend d'un seigneur qui lui accorde une terre (une tenure) en échange d'un loyer (le cens). Une minorité de paysans sont des serfs : attachés à une terre, ils ne peuvent quitter leur seigneur. Quelques rares paysans, les alleutiers, possèdent des terres libres de droits seigneuriaux.

Le fief, une invention du Moyen Âge

Les seigneurs donnent une partie de leurs terres (le fief) à leurs meilleurs guerriers, les chevaliers. Ils deviennent ainsi des suzerains et les chevaliers, des vassaux. En échange du fief, le vassal jure fidélité à son suzerain au cours d'une cérémonie appelée l'hommage. Il s'engage à lui apporter une aide militaire et financière en cas de besoin. Le suzerain promet de protéger son vassal contre tout agresseur. L'hommage scelle les liens de dépendance qui unissent le vassal et le suzerain.

Des impôts et des corvées

En plus de leur loyer, les paysans payent la dîme, destinée à l'Église, la taille et le champart (partie de la récolte), destinés au seigneur. Ils s'acquittent de droits de péage pour franchir tel pont ou entrer dans telle ville. Ils accomplissent des corvées telles que l'entretien des chemins ou la culture des terres privées du seigneur.

Les bourgeois : une nouvelle classe sociale

À partir du XIIᵉ siècle, les villes prennent de l'importance. Des foires s'y déroulent régulièrement. Une nouvelle classe sociale apparaît : celle des marchands et des artisans. Les boulangers et les meuniers en font partie. Ils vivent dans les bourgs, d'où leur nom de « bourgeois ». Ces hommes s'unissent en corporations (associations professionnelles) pour défendre leurs intérêts face aux seigneurs et au clergé. Un certain nombre de villes deviennent ainsi des municipalités libres où les bourgeois élisent leurs propres représentants, les échevins.

Le moulin : un sacré progrès !

À partir du XIᵉ siècle, la France et l'Europe se couvrent de moulins. Installés sur les cours d'eau, en bord de mer, dans les plaines ou en haut des collines, ils utilisent la force de l'eau ou du vent pour moudre du grain ou actionner des outils. Ils permettent aux hommes de se libérer des tâches les plus pénibles et facilitent le développement économique.

1 ⟩ Une invention venue d'Orient

Les premiers moulins à eau apparaissent sur les bords de la Méditerranée au Iᵉʳ siècle av. J.C. Les Romains, qui disposent d'esclaves pour actionner les moulins à bras, les utilisent peu et ne cherchent pas à développer cette technique. Les Francs l'exploitent à partir du VIᵉ siècle. Le moulin à vent est plus récent. Il serait arrivé de Chine en Angleterre et en Provence vers la fin du XIIᵉ siècle. Son usage se répand à travers toute l'Europe. Les premiers moulins à vent sont tout en bois et montés sur pivot. Le meunier l'oriente en fonction du vent à l'aide d'une longue perche.

Des moulins à marée

Dès le VIIIᵉ siècle, les moines irlandais savent utiliser la force des marées. Un barrage est construit au pied du moulin. Il permet de retenir l'eau dans des réserves lorsque la marée monte. Quand les réserves sont pleines, on ouvre les écluses. La force des flots libérés permet d'actionner les ailes du moulin.

2 ⟩ Un outil aux mains de l'Église et des seigneurs

Les moulins, comme les fours et les pressoirs, appartiennent aux seigneurs ou à l'Église. Les paysans ont l'obligation de les utiliser et de payer une redevance chaque fois qu'ils viennent y moudre leurs grains. Toute personne surprise à construire son propre moulin pour échapper à ces taxes est sévèrement punie.

Qui a inventé quoi ?

Du Xᵉ au XIVᵉ siècle, les Européens inventent ou améliorent techniques et matériaux venus d'Orient et d'Extrême-Orient.

L'invention	Les inventeurs	1ᵉʳᵉ époque de création	Apparition de l'invention en Europe
Le papier	Les Chinois,	IIᵉ ou IIIᵉ siècle av. J.C.	Vers le IXᵉ siècle (en Espagne). Avant, les Européens utilisent le papyrus puis à partir du Vᵉ siècle le parchemin. La première papeterie française date du XIVᵉ siècle.
Les lunettes de vue	Les Arabes, les Chinois	IXᵉ, Xᵉ siècle	XIIIᵉ siècle
La boussole	Les Chinois. Un siècle plus tard, les Arabes découvrent la boussole.	XIᵉ siècle	XIIᵉ siècle. Avant, les marins naviguent aux étoiles et avec l'aide d'une petite aiguille aimantée. Les Européens fabriquent leurs propres boussoles, plus perfectionnées, à la fin du XIIIᵉ siècle.

Qui était Saint Louis ?

Le roi Saint Louis appartient à la famille des Capétiens.
Très chrétien, il défend les plus pauvres et change la justice
de son époque mais pourchasse sans pitié les non-chrétiens.
Il a régné sur la France pendant plus de quarante ans.

1221. Dans le palais de la Cité, à Paris, Louis apprend le latin. Sa mère, Blanche de Castille, surveille son éducation.

Louis, un jour, vous serez roi. Mais un roi ignorant n'est qu'un âne couronné ! Il faut donc être savant.

Blanche est très croyante. Elle fait de son fils un bon chrétien.

Le grand-père de Louis est le roi Philippe Auguste.

Bravo Louis, tu es déjà bon cavalier !

Il te reste à apprendre le métier de roi. Car après ton père, tu dirigeras ce pays.

En peu de temps, Louis perd son grand-père et son père, Louis VIII. Il devient roi à 12 ans, en 1226.

Louis et sa mère partent pour Reims. C'est là que Louis sera sacré roi.

Ne vous inquiétez pas, Louis. Je gouvernerai la France jusqu'à ce que vous soyez adulte.

Le 29 novembre 1226, Louis est sacré roi de France dans la cathédrale de Reims.

Je promets de protéger l'Église, de faire régner la paix et la justice.

Voici le moment le plus important du sacre : l'onction

L'archevêque
Il marque le front et l'épaule du roi avec une huile sacrée. Le roi devient le trait d'union entre Dieu et son peuple.

Blanche de Castille
C'est la première femme à diriger la France.

Louis
Il prend le nom de Louis IX.

En 1264, Louis IX a 50 ans. Il gouverne depuis 38 ans. Il va souvent dans les abbayes.

Merci, Majesté. Mais vous allez salir votre habit.

C'est sans importance, j'en ai d'autres.

Nous accueillons beaucoup d'aveugles ici.

Je fais construire à Paris un hôpital pour 300 aveugles.

Nous prierons pour vous, Sire.

Priez pour l'âme de mon fils aîné. Je ne me console pas de sa mort.

Louis IX s'est marié avec Marguerite de Provence. Ils ont eu 11 enfants, mais 3 sont morts jeunes.

Philippe, mon fils, j'ai quelque chose à vous montrer.

Cette pièce est en argent et pèse 4 grammes, Sire.

Inscrivez dessus : «Béni soit le nom de Jésus Christ.»

Cette pièce sera la première monnaie qui servira dans tout le royaume.

Mon neveu et ses deux amis ont été capturés par le seigneur de Coucy. Celui-ci les a accusés de chasser dans ses bois. Il les a fait pendre.

Avec Louis IX, la justice change. Avant, chaque seigneur faisait ce qu'il voulait sur ses terres.

Ces jeunes gens avaient-ils des chiens et des armes pour chasser ?

Non, Sire !

Seigneur de Coucy, qu'avez-vous à dire ?

Majesté, je suis maître sur mes terres...

Oui, vous avez des terres et vous êtes riche. Mais cela ne vous donne pas raison ! Voici notre décision...

Vous paierez une amende de 12 000 livres. Votre bois est confisqué. Vous bâtirez trois chapelles en mémoire des pendus.

Et vous partirez combattre trois ans en Terre sainte*.

Mais Majesté...

Un mot de plus et vous êtes emprisonné !

Louis IX laissera le souvenir d'un roi écoutant les pauvres aussi bien que les riches.

Louis IX meurt en 1270. Longtemps après sa mort, le peuple parlera du «bon temps de monseigneur Saint Louis».

Fin

* La région de Jérusalem.

La guerre au nom de Dieu

Au Moyen Âge, toute la population, ou presque, qui vit en Europe est chrétienne. Les musulmans, eux, règnent sur une partie de l'Orient et de l'Afrique du Nord. La rivalité entre les deux religions conduit les souverains européens, dont le roi Saint Louis, à partir en guerre contre les musulmans : ce sont les croisades.

1 } Jérusalem, une ville sacrée

Pour les chrétiens, Jérusalem est une ville sainte car Jésus y est mort et ressuscité. Aussi, quand les Turcs, de religion musulmane, s'emparent de la ville en 1078, l'émotion est grande en Europe. En 1095, le pape Urbain II lance un appel aux chrétiens. Il leur demande de partir en expédition militaire au nom de Dieu, en « croisade », et de libérer le tombeau du Christ.

3 } Des guerres incessantes

Jérusalem est prise et reconquise plusieurs fois, notamment par le sultan Saladin. Pendant près de deux siècles, de 1096 à 1270, huit croisades se succèdent en Terre Sainte et en Égypte. Plusieurs grands rois de France et d'Angleterre y participent : Richard Cœur de Lion, Philippe Auguste, Saint Louis... Les chrétiens sont finalement battus par les musulmans et doivent quitter la Palestine. Les États latins d'Orient disparaissent à la fin du XIIIe siècle.

2 } Les États latins d'Orient

De nombreux chevaliers, seigneurs et paysans répondent à l'appel du pape. Ce sont des centaines de milliers de chrétiens qui prennent le chemin de Jérusalem. Après de terribles massacres, la ville est reprise aux musulmans en 1099. Les chrétiens vont alors en profiter pour conquérir de nouveaux territoires et ouvrir ainsi de nouvelles routes commerciales. Ils fondent quatre États chrétiens en Syrie et en Palestine : les États latins d'Orient qui sont le royaume de Jérusalem, la principauté d'Antioche, le comté d'Édesse et le comté de Tripoli.

Les soldats du Christ

Trois ordres militaires et religieux sont créés pour défendre les États latins d'Orient : les Templiers, les Hospitaliers et les chevaliers Teutoniques. Ils ont pour mission d'héberger, de soigner et de protéger les pèlerins qui viennent se prosterner sur le tombeau du Christ. En deux siècles, ces ordres deviennent très puissants. Les Templiers construisent en Europe et sur la route de Jérusalem un important réseau de monastères appelés commanderies ainsi que des forteresses. Ils acquièrent une flotte de navires qui leur permet de transporter armes, hommes et argent.

4 } Le bilan des croisades

Il est plutôt négatif : des milliers d'hommes massacrés, des villes pillées, des campagnes dévastées... Les croisades ont coûté très cher et entraîné bien souvent une hausse des impôts dans les royaumes occidentaux. Elles ont brisé les relations de confiance et de tolérance qui existaient auparavant entre chrétiens et musulmans.

Saint Louis, un roi très pieux

Louis IX améliore la justice et l'administration du royaume en luttant contre les abus de pouvoir de ses officiers envers son peuple. Il invite les pauvres à sa table et pratique l'aumône et le jeûne. À Paris, il fait construire un hospice pour les aveugles, devenu l'hôpital des Quinze-Vingt. Convaincu que la guerre contre les musulmans est juste, il participe à deux croisades, la septième et la huitième au cours de laquelle il meurt. Il est canonisé vingt-sept ans après sa mort.

Voyage au Mont-Saint-Michel

Comme des centaines d'autres pèlerins,
John et son père ont quitté l'Angleterre pour se rendre
en pèlerinage au Mont-Saint-Michel.
Un périple plein de dangers et de surprises…

Un matin d'octobre 1256, un navire anglais accoste à Barfleur, petit port normand.

Nous sommes arrivés en France, John.

Enfin ! C'était une belle traversée, hein papa ?

Encore sept jours de marche et tu verras le Mont.

La traversée du Cotentin est difficile.

J'ai froid. J'ai mal aux pieds !

Courage, John, nous arrivons à la maison-Dieu.

À la maison-Dieu, John et son père sont nourris et soignés par des moines hospitaliers.

Pourquoi fais-tu ce pèlerinage ?

Pour demander la guérison de mon petit frère.

Restez vigilants. On signale des pillards.

Nous avons notre bourdon* pour nous défendre.

* Bâton

Dans les marais, ils rencontrent un pèlerin.

Je vais au Mont-Saint-Michel.

Nous aussi ! Faisons route ensemble !

La nuit tombe. Soudain, dans la pénombre...

PAPA ! ATTENTION !

L'homme était un bandit déguisé en pèlerin, un coquillard.

Sale menteur, tu espérais nous voler !

moyen âge

Arrivés au bec d'Andaine, John et son père payent un guide pour traverser la dangereuse baie.

Il y a 2 lieues*
à parcourir.
C'est dix sous.

* 7 kilomètres

Mets tes pas dans
les miens, John.

Attention, les sables
mouvants sont
mauvais par ici !

Soudain, un brouillard terrifiant
enveloppe les marcheurs.

John ? JOHN ?
Où es-tu ?

PAPA, À L'AIDE !
Je m'enfonce !

Tiens bon,
John !

Enfin, les voilà arrivés au pied
du Mont-Saint-Michel !

Allez, John, un
dernier effort !

Il faut encore
grimper tout
ça ! Je n'en
peux plus.

La mer qui monte devient menaçante...

Elle va
nous guider.
Hâtons-nous !

Écoutez...
La cloche
de brume !

John et son père remontent la Grande Rue envahie par les pèlerins venus de tous les pays.

On peut acheter une figurine de saint Michel, papa ?

Oui. Tu l'offriras à ton frère.

Soudain, une rumeur agite la foule.

Le roi !

Le roi Louis est ici !

Je le croyais en croisade...

Le roi de France m'a donné une pièce d'or !

John et son père suivent le cortège royal jusqu'à l'abbatiale, l'église du Mont.

Quelle splendeur !

John touche la châsse dorée contenant les reliques du saint.

Saint Michel, guéris mon petit frère !

John explore le Mont et grimpe le plus haut possible. Il contemple la baie immense.

Te voilà un vrai miquelot*, mon John.

Mes amis ne voudront pas me croire. Heureusement, j'ai une preuve !

FIN

* Pèlerin de Saint-Michel

61

La France chrétienne du Moyen Âge

À cette époque, la population française est en majorité chrétienne. La religion influence la manière de penser et de vivre des femmes et des hommes. Elle inspire les artistes et les architectes. Elle donne aux représentants de l'Église un grand pouvoir sur leurs contemporains, qu'ils soient humbles ou puissants.

1 } Une religion omniprésente

Les chrétiens croient qu'après la mort, Dieu juge les hommes. Ils craignent l'enfer et pensent gagner le paradis par le respect de l'enseignement du Christ. La religion rythme leur vie : les enfants sont baptisés à la naissance ; les adultes se marient devant un prêtre ; les mourants sont bénis. Chacun doit se rendre à la messe le dimanche et confesser ses péchés. Les fêtes religieuses animent les villages. Le roi lui-même est couronné par un évêque, voire le pape, et son pouvoir lui vient de Dieu.

2 } Une Église très organisée

Le pape est le chef de l'Église. Il siège à Rome et est élu par les cardinaux. Il contrôle le clergé grâce à des envoyés, les légats. Placés sous l'autorité du pape, les évêques dirigent les diocèses, qui comptent chacun plusieurs paroisses. Chaque paroisse, administrée par un prêtre, regroupe une communauté de fidèles. Le pouvoir du pape est indépendant de celui des rois et des seigneurs.

De nouveaux ordres religieux

Au début du XIIIe siècle, de nouvelles communautés religieuses voient le jour : les Dominicains et les Franciscains. Contrairement aux moines, ces « frères mendiants », comme ils se baptisent eux-mêmes, ne vivent pas enfermés dans les monastères. Ils parcourent le monde pour enseigner la parole du Christ. Ils vivent de mendicité.

3 } Des règles de vie

La société du Moyen Âge est violente ; des guerres incessantes pour le contrôle des terres sont menées. Pour limiter cette violence, l'Église impose aux chevaliers et aux seigneurs des règles de respect. Elle influence les décisions du roi. Les hommes d'Église sont craints et respectés de tous.

Qu'est-ce que le clergé ?

Il faut distinguer le clergé régulier du clergé séculier. Le premier regroupe les religieux qui vivent à l'écart, dans les monastères ou les abbayes, et sont dirigés par des abbés. Le second désigne les hommes d'Église qui vivent au milieu des fidèles : les évêques et les prêtres.

De l'art roman à l'art gothique

Du IXe au XIe siècle, les églises sont de style roman. Leurs murs épais sont soutenus par des contreforts. Les chapiteaux et les tympans sont décorés de sculptures représentant des métiers, des animaux fabuleux ou des saints. À cause des petites ouvertures, ces églises sont sombres. Au XIIe siècle, de nouvelles techniques de construction apparaissent : la voûte en ogive et l'arc-boutant. On élève ainsi des murs plus hauts et des piliers plus fins et on perce des ouvertures plus grandes. De larges vitraux colorés laissent entrer la lumière. C'est l'art gothique, né en Île-de-France. Il se répand dans tout l'Occident chrétien.

5 } Le culte des reliques

On appelle « reliques » les corps et les objets des personnes mortes réputées pour leur sainteté ou leurs miracles : par exemple, des évêques, des martyrs ou des moines. Pour les hommes du Moyen Âge, ces reliques, conservées dans des coffrets (reliquaires), possédaient des pouvoirs surnaturels. Le culte des reliques s'est développé en Europe à partir du IXe siècle. Il a permis à l'Église de récolter beaucoup d'argent auprès des fidèles, sous forme d'offrandes.

6 } La chasse aux hérétiques

L'Église ne tolère pas d'autres croyances que la sienne. Elle pourchasse sans pitié ceux qui refusent l'enseignement du Christ : les hérétiques. Elle les fait juger par le tribunal de l'Inquisition et condamne certains au bûcher. Elle oblige les juifs à porter la rouelle, un morceau d'étoffe rond de couleur jaune, pour les distinguer et limiter leurs contacts avec les chrétiens.

4 } Des pèlerins sur les routes

Le pèlerinage est une pratique religieuse très courante à l'époque. Il consiste à aller se recueillir dans un sanctuaire réputé pour ses reliques. Certains pèlerins voyagent jusqu'à Rome, Saint-Jacques-de-Compostelle, en Espagne, ou Jérusalem. Ils partent en groupe avec un guide et suivent des itinéraires connus jalonnés de couvents ou d'hospices où ils peuvent manger et dormir. En agissant ainsi, les pèlerins veulent se faire pardonner un péché grave, solliciter la guérison d'un proche ou assurer leur salut après la mort.

Le château de Foix
Le seigneur de ce château, Raymond Roger de Foix, était un grand défenseur des cathares, des hérétiques. Malgré les efforts des croisés, le château de Foix, situé dans les Pyrénées, en Ariège, n'a jamais été pris. Aujourd'hui, ce château fort se visite.

La croisade contre les albigeois

Les albigeois sont des cathares : ils croient au catharisme. Ce mouvement, né au XIIe siècle dans le sud de la France, est une révolte contre le clergé corrompu par l'argent et la quête du pouvoir. Les cathares se considèrent comme les vrais chrétiens : ils vivent pauvrement, ne mangent pas de viande, dorment peu, jeûnent et prient beaucoup. Ils ont leurs propres évêques et tiennent leurs propres conciles (réunions). L'Église se sent menacée. Pour elle, ce sont des hérétiques. En 1208, le pape Innocent III appelle à la croisade contre les albigeois, avec le soutien du roi de France Louis IX. Ces massacres durent presque quarante ans. Ils se terminent par la disparition des cathares.

1429

Jeanne la guerrière

Depuis près de cent ans, la guerre oppose Français et Anglais.
Une jeune paysanne venue de l'est de la France est convaincue
d'avoir une mission divine : aider son roi, Charles VII,
à battre les Anglais.

La région est occupée par l'ennemi.

Soyons prudents, les Anglais pourraient nous attaquer.

Mieux vaut éviter les villes!

Jeanne, nous chevauchons sans arrêt depuis deux jours. Les hommes sont épuisés!

Nous nous reposerons plus tard.

Un soir, l'escorte trouve l'hospitalité.

Avec ces guerres qui n'en finissent pas, c'est la misère!

Toute ma famille est morte.

Tenez, partageons ce quignon de pain.

AAAAOOOOuuU

Des loups? C'est la faim qui les attire...

Après onze jours de voyage

Nous voici à Chinon!

Le roi s'est réfugié ici car Paris est aux mains des Anglais...

En chemin vers le château...

Je vais voir le roi Charles pour la première fois!

Enfin, dans la salle du trône...

Quoi? Cette petite paysanne de rien aurait un message important à délivrer au roi?!

Je suis le roi de France !

C'est faux !

Incroyable...

Je suis Jeanne. Et vous, vous êtes Charles, le futur roi de France.

Est-ce Dieu qui t'a aidée à déjouer notre mauvaise plaisanterie ?

Sire, certains pensent que je suis folle. Mais c'est vrai, j'ai entendu des voix.

Elles m'ont dit que vous alliez être sacré roi de France à Reims...

... et que j'allais vous aider à chasser les Anglais.

Tu as l'air sincère... Mais tu vas devoir répondre à certaines questions.

Bien sûr !

Et à Poitiers, devant des religieux...

Qui t'a parlé ?

Sainte Catherine, sainte Marguerite et l'archange saint Michel.

Elle semble être bonne catholique...

Ouf ! Ils ne me croient ni folle ni sorcière.

À Tours

Le roi a acheté cette armure pour vous !

Grâce à votre bannière, on vous reconnaîtra sur le champ de bataille.

Je suis prête à guerroyer. Mais j'espère ne tuer aucun Anglais...

Fin avril 1429, Jeanne part pour Orléans.

Orléans est aux mains des Anglais depuis sept mois.

Les habitants sont affamés...

Nous vaincrons !

Tu m'impressionnes, Jeanne ! Tu crois à la victoire contre les Anglais et tu es courageuse.

Capitaine Xaintrailles, vous me flattez !

Les Anglais ont construit des tours qui encerclent Orléans.

Xaintrailles, La Hire, Dunois, il faut attaquer avant que les Anglais n'appellent des renforts !

Jeanne d'Arc
à la reconquête du royaume

En six mois, Jeanne d'Arc permet au dauphin Charles VII de se faire couronner roi à Reims, contre ses ennemis les Anglais, alliés aux Bourguignons.

1 } Jeanne entend des voix

Fille d'un laboureur aisé du village de Domrémy, en Lorraine, Jeanne d'Arc est très croyante. Selon ses propres dires, elle aurait reçu à 13 ans la visite de l'archange saint Michel. Il lui aurait commandé d'aider le dauphin Charles. La jeune fille ne prend les armes qu'à l'âge de 17 ans. D'autres voix « divines » l'auraient encouragée à agir ainsi : celles de sainte Catherine et de sainte Marguerite.

2 } Les combats de Jeanne

Jeanne convainc le roi de lui donner une armure et une épée. Elle se rend avec une troupe d'hommes à Orléans, assiégée par les Anglais. Le « miracle » se produit : elle parvient à ravitailler puis à délivrer la ville. Elle remporte une autre victoire décisive à Patay, une ville de la région. La voie est libre pour emmener le Dauphin se faire couronner roi de France à Reims et montrer ainsi aux Anglais qu'il est le maître. Jeanne assiste au sacre. Plus tard, Charles VII l'anoblit pour la récompenser.

La guerre de Cent Ans

On a appelé ainsi les batailles qui se sont succédé entre 1337 et 1453 entre les Anglais et les Français. À l'origine de ce conflit, il y a la couronne de France. En 1337, les Anglais la revendiquent. Les Français refusent mais ils sont divisés : les Bourguignons prennent parti pour les Anglais, les Armagnacs défendent le Dauphin. Jusqu'en 1453, l'armée anglaise et l'armée française s'affrontent sur le sol français. Le pays est ravagé par les combats, les pillages, la peste et la famine.

Un royaume divisé

En 1429, la France est partagée entre le roi d'Angleterre allié au duc de Bourgogne, et le dauphin Charles, futur Charles VII. Après la guerre de Cent Ans, la France ressemble un peu à celle d'aujourd'hui.

- Royaume de France
- Royaume d'Angleterre et ses possessions françaises
- Possessions du duc de Bourgogne, allié des Anglais

Calais
Rouen   Reims
Paris
Domrémy
Orléans
Chinon

Un Dauphin écarté du trône

Le dauphin Charles n'était pas destiné à régner. La mort de ses frères aînés a pourtant fait de lui l'héritier du trône. En 1418, Charles est obligé de fuir Paris pour ne pas tomber aux mains des Anglais qui ont conquis le nord de la France. Sa mère, Isabeau de Bavière, le déshérite au profit du roi d'Angleterre Henri V, qui devient temporairement roi de France.

Un procès truqué

1) L'arrestation

Jeanne tombe aux mains des Bourguignons alors qu'elle tente de délivrer la ville de Compiègne encore aux mains des Anglais. Elle est emmenée au château de Beaurevoir, dans le nord de la France. Pendant deux mois, elle est prisonnière de Jean de Luxembourg. Puis elle est livrée aux Anglais en échange d'une forte rançon.

2) Une dangereuse accusation

Les Anglais craignent Jeanne d'Arc. Ils veulent l'éliminer. Ils affirment qu'elle n'a jamais entendu de voix divines : Jeanne serait une menteuse. Ils lui reprochent de porter des habits d'homme alors que c'est interdit aux femmes. Surtout, ils l'accusent de sorcellerie et la font juger par un tribunal religieux. En agissant ainsi, les Anglais cherchent à salir la réputation de Charles VII qui a été couronné grâce à elle.

3) Des juges français vendus aux Anglais

Le procès de Jeanne se déroule à Rouen. Les juges y sont presque tous favorables aux Anglais, qui règnent en maîtres sur la ville. Certains ont reçu de l'argent ; d'autres, menacés de mort, n'osent pas défendre Jeanne ou sont écartés du procès.

4) Condamnée d'avance

Jeanne n'a pas droit à un avocat et elle ne sait pas lire : les juges en profitent pour lui faire signer des documents compromettants pour elle. Ils ne tiennent pas compte d'enquêtes qui lui sont favorables et qui auraient pu la sauver. Les juges interrogent Jeanne pendant des heures : ils essaient de la piéger. Condamnée le 24 mai 1431, elle est conduite au bûcher le 30 mai, où elle meurt brûlée vive.

Les procès en sorcellerie

Il y a eu peu de procès en sorcellerie au Moyen Âge. Les premières persécutions débutent tardivement, en 1484, à l'appel du pape Innocent VIII. Elles ont duré jusqu'au XVIIe siècle. Les accusés sont souvent des femmes, des juifs, des homosexuels ou des vagabonds. On estime qu'il y a eu entre 30 000 et 60 000 victimes, en France mais surtout en Suisse et dans les régions germaniques (pays protestants).

1337	Vers 1411/1412	8 mai 1429	17 juillet 1429	24 mai 1431	30 mai 1431
Début de la guerre de Cent Ans.	Naissance de Jeanne d'Arc.	Jeanne d'Arc délivre Orléans des Anglais. Plusieurs autres villes de la région suivent : Jargeau, Meung, Beaugency et Patay.	Couronnement de Charles VII à Reims.	Jeanne est faite prisonnière à Compiègne.	Jeanne meurt brûlée vive à Rouen.

Repères

1534

François Ier, roi de France

Amoureux de la chasse, des arts et des lettres,
François Ier développe en son château de Chambord une brillante
vie de cour inspirée de l'Italie.

1534, Paris. Le roi François Ier part chasser dans son château de Chambord.

Il me tarde d'être dans ma belle forêt de Chambord.

Les serviteurs déménagent les tapisseries. Elles meubleront le château pendant le séjour du roi.

Le nombre de coffres augmente à chaque voyage...

...comme ces dames de la Cour.

Une foule de courtisans accompagne le roi. Aux étapes, ils dorment dans des écuries.

Ce soir, nous coucherons dans un petit village.

Encore une nuit dans le froid et la boue...

Le château n'est pas fini. À peine arrivé, François Ier visite le chantier.

Sur le donjon, je veux une terrasse à l'italienne.

La reine Éléonore et ses dames d'honneur s'installent dans leurs appartements.

Quelle robe voulez-vous pour la journée?

Le roi dîne seul. Il écoute le poète Clément Marot qui lui déclame ses derniers vers.

«J'avais un jour un valet de Gascogne»...

L'après-midi, le grand fauconnier surveille les préparatifs de la chasse.

Aujourd'hui, le roi a choisi de chasser avec ses éperviers.

François Ier chevauche en tête du cortège avec sa belle-fille, Catherine de Médicis.

C'est un grand honneur d'être votre invitée.

Peu de dames aiment la chasse comme vous.

La meute des chiens se lance à la poursuite du gibier. Les fauconniers retiennent leurs oiseaux.

Soudain, un lièvre débusqué par les chiens détale. Vite, un fauconnier lâche son épervier.

À la vol, à la vol !

L'épervier a plaqué le lièvre au sol.

Ces oiseaux sont vraiment de grands chasseurs.

Devant le château, les nobles dames habillées pour le bal du soir accueillent le roi.

Ce soir, madame, me ferez-vous l'honneur d'une danse ?

FIN

François Ier, un monarque souverain

Par ses réformes, François Ier fait de la France un royaume prospère et moderne. Il impose son autorité aux seigneurs et à l'Église.

1) L'éducation d'un roi

À sa naissance, François n'est pas destiné à monter sur le trône car il n'est qu'un cousin éloigné du roi. Sa mère, Louise de Savoie, soigne pourtant son éducation. Elle lui enseigne l'italien et engage un précepteur pour lui et sa sœur Marguerite. François est curieux. Il adore les romans de chevalerie et l'histoire des Romains. Il dessine et écrit des poèmes. Finalement, le roi Louis XII meurt sans laisser d'héritier mâle. François lui succède le 1er janvier 1515.

2) Les guerres d'Italie

L'Italie est constituée de riches États indépendants. Sitôt roi, François part conquérir le royaume de Naples et le duché de Milan. Il remporte la bataille de Marignan. Mais il se heurte à Charles Quint qui rêve aussi de conquérir l'Italie. Quatre autres guerres opposeront les deux souverains. François Ier est fait prisonnier à Pavie en 1525. Il est libéré contre une rançon. Les guerres d'Italie se terminent en 1559, après sa mort.

Qui est Charles Quint ?

C'est le souverain le plus important d'Europe. Il règne sur l'Espagne, la Sicile, les Pays-Bas, la Bourgogne, l'actuelle Franche-Comté et l'Autriche. En 1519, il est élu empereur du Saint Empire romain germanique (empire d'Allemagne).

3) Un mécène curieux et attentif

Lors de ses guerres en Italie, François Ier découvre les nouvelles idées de la Renaissance ainsi que l'art grec et romain dont s'inspirent les artistes italiens. Il rapporte en France de nombreux tableaux de maîtres. Il invite plusieurs d'entre eux et leur offre son soutien financier : Léonard de Vinci, le Primatice, le Rosso...

4) Un roi bâtisseur

François se passionne pour l'architecture. Les beaux bâtiments sont pour lui signe de puissance. Il charge donc ses artistes italiens de la rénovation de ses résidences : Blois, Fontainebleau, Amboise... Il fait construire Chambord.

Comment reconnaître le style Renaissance ?

Les châteaux Renaissance possèdent des façades percées de grandes fenêtres et ornées de sculptures et de moulures. Les toits s'ornent de cheminées, de tourelles ou de lucarnes. À l'intérieur, les galeries et les appartements sont décorés de manière raffinée avec des panneaux peints.

Léonard de Vinci, le protégé de François Ier

Léonard arrive en France à l'âge de 64 ans, invité par François Ier. Il s'installe au manoir du Clos Lucé, qui se trouve à côté d'Amboise, la résidence du roi de France. Jusqu'à sa mort, trois ans plus tard, Léonard y organise de somptueuses fêtes.

Une époque nouvelle : la Renaissance

Du XVe au XVIe siècle, la redécouverte de l'Antiquité, les grandes explorations et les progrès scientifiques bouleversent les croyances et la manière de voir le monde. Partie d'Italie, cette « renaissance » gagne la France grâce à François Ier.

1 } Un souffle nouveau venu d'Italie

La Renaissance naît au XIVe siècle à Florence. Cette riche cité italienne est dirigée par les Médicis, une famille de marchands et de banquiers. Les Médicis sont des mécènes : ils encouragent et financent les arts et les lettres. Savants et philosophes fréquentent leur Cour et participent au renouvellement des idées.

2 } À la mode antique

Les artistes ne s'inspirent plus seulement de la Bible. Ils cherchent de nouvelles idées dans l'art, la philosophie et la mythologie des anciens Grecs et Romains. Les hommes de lettres étudient et traduisent les textes anciens écrits en grec ou en hébreu. Ce travail donne naissance à un courant de pensée : l'humanisme. Pour les humanistes, l'être humain a de la valeur. Il est intelligent et mérite d'être éduqué. Les plus importants d'entre eux sont les Italiens Dante et Pétrarque, le Hollandais Érasme et le Français Guillaume Budé, l'homme à l'origine de la Bibliothèque nationale de France.

Les écrivains français de la Renaissance

François Rabelais, Clément Marot, Pierre de Ronsard et Joachim Du Bellay sont les plus connus. Rabelais est prêtre, médecin et écrivain. Il critique beaucoup l'Église. Ses livres les plus célèbres sont *Pantagruel* et *Gargantua*. Marot, Ronsard (ci-dessus) et Du Bellay sont les plus grands poètes français du XVIe siècle. Marot s'intéresse au protestantisme (voir Les guerres de Religion, p . 89). Ronsard et Du Bellay inventent de nouvelles manières d'écrire des poèmes et défendent la langue française.

Des réformes importantes

En 1539, François Ier signe l'ordonnance de Villers-Cotterêts. Ce texte de loi impose deux nouvelles règles très importantes : les juges, les notaires et les officiers royaux devront rédiger les actes administratifs en français et non en latin ou en langue locale ; les prêtres devront tenir un registre des naissances. C'est le début de l'état civil. François Ier demande aussi aux imprimeurs et aux libraires de déposer à la librairie du château de Blois un exemplaire de tous les ouvrages paraissant dans le royaume. Ces premières collections appartiennent aujourd'hui à la Bibliothèque nationale de France.

1434
Gutemberg perfectionne l'imprimerie.

Octobre 1492
Christophe Colomb découvre l'Amérique du Nord.

12 septembre 1494
Naissance de François Ier.

Mai 1498
Vasco de Gama découvre le chemin vers l'Inde par la mer.

3 ⟩ Des progrès techniques et scientifiques

D'importantes découvertes changent la manière de voir le monde. L'astronome Nicolas Copernic comprend que la Terre et les autres planètes tournent autour du Soleil et non le contraire. Le médecin André Vésale améliore la connaissance du corps humain grâce à la dissection. Ambroise Paré invente de nouveaux instruments chirurgicaux et met au point la ligature des veines et des artères. La construction navale progresse : les bateaux, plus solides, permettent d'explorer le monde. Les connaissances géographiques ainsi que la cartographie s'améliorent. Des artistes inventent la peinture à l'huile, qui sèche moins vite et permet de travailler plus précisément.

La caravelle, un navire taillé pour aller loin

Ce navire facile à manœuvrer a été inventé par les Portugais au début du XVe siècle. Ses hauts bords permettent d'affronter les mers les plus houleuses.

4 ⟩ Des souverains curieux

Ces découvertes et ces innovations excitent la curiosité des souverains. Ils se mettent à collectionner et à étudier toutes sortes d'objets exotiques, de plantes et d'animaux rares ou inconnus. Ces collections sont rassemblées dans des cabinets de curiosité, les ancêtres de nos musées. Les collectionneurs constituent aussi de vastes bibliothèques en achetant ou en faisant traduire des manuscrits anciens. Ce faisant, ces hommes améliorent leurs connaissances du monde et contribuent à diffuser le savoir.

5 ⟩ Les Européens à la découverte du monde

À partir du XVe siècle, les Européens se lancent à la découverte du monde. Christophe Colomb découvre l'Amérique en 1492. Vasco de Gama réalise le premier voyage aller-retour par la mer jusqu'en Inde. L'expédition de Magellan boucle le premier tour du monde. Les Espagnols installent les premiers comptoirs commerciaux en Afrique et pénètrent en Amérique du Sud. Quant aux Portugais, ils explorent la Chine et le Japon.

Les progrès de l'imprimerie

En 1434, Johannes Gutenberg, un orfèvre allemand, perfectionne la technique de l'imprimerie. Il crée des lettres et des signes de ponctuation en plomb. Ces caractères typographiques sont mobiles : on peut les fixer sur un cadre dans l'ordre qu'on veut et les réutiliser. Cela signifie qu'on peut composer n'importe quel texte et le reproduire autant de fois que nécessaire. Ainsi naît l'imprimerie moderne. Cette invention va permettre de diffuser les idées de la Renaissance à un large public. C'est une révolution : au Moyen Âge, les livres étaient écrits à la main par des moines.

Septembre 1513	Septembre 1522	1534	31 mars 1547	Mars 1565
Découverte de l'océan Pacifique par Balboa.	L'expédition de Magellan achève son tour du monde.	Premier voyage de Jacques Cartier au Canada.	Mort de François Ier.	Les Portugais fondent Rio de Janeiro, au Brésil.

La fondation du Québec

En 1608, des Français débarquent en Amérique du Nord.
À leur tête, Samuel de Champlain, navigateur et cartographe, est
missionné par le roi Henri IV pour explorer le continent américain…

DÉPART: HONFLEUR
16 avril 1608

AMÉRIQUE

OCÉAN ATLANTIQUE

FRANCE

ARRIVÉE: TADOUSSAC
3 juin 1608

Champlain, le chef de l'expédition, est accueilli par des Français installés à Tadoussac.

Je veux poursuivre l'exploration de ce pays.

Quelques jours plus tard, les Français remontent le fleuve Saint-Laurent.

Cherchons un endroit pour installer notre habitation !

Les rives sont désertes...

Plus loin, ils croisent des Indiens...

Ce sont des Montagnais. J'ai rencontré ce peuple il y a cinq ans.

Hugh !

La nuit, au bivouac

Regardez, encore un castor !

Ici, ils pullulent. La vente de leur fourrure nous rapporterait beaucoup d'argent.

Un mois plus tard, dans la forêt qui domine le fleuve.

Je verrai mieux de là-haut...

On va s'installer ici, à Kebec*, au bord du Saint-Laurent !

* Kebec signifie «là où le fleuve se rétrécit».

79

Les Français défrichent et coupent des arbres pour bâtir une habitation : Québec.

À la fin de l'été, l'habitation fortifiée est terminée.

Ces canons défendront notre territoire.

Toutes nos provisions apportées de France sont stockées à la cave.

À l'automne...

Ces grains de blé et de seigle vont bien pousser ici.

Oui, la terre semble fertile !

Fin octobre, la neige tombe déjà...

Bientôt, nous serons isolés car le fleuve va être pris dans les glaces.

L'hiver est là. Dans l'habitation, Champlain travaille...

Grâce à mes croquis, je peux dessiner une carte précise du fleuve.

... Ses hommes, eux, dépriment.

C'est à toi de jouer.

J'ai la tête ailleurs. Ma famille me manque...

L'hiver est rude. Les provisions manquent. Des hommes tombent malades et meurent.

Le médecin est mort, lui aussi.

En juin 1609, les rescapés de l'hiver accueillent des renforts venus de France.

16 hommes sont morts... Nous ne sommes plus que 9.

Donnez-moi des nouvelles de France...

Le royaume est en paix grâce à Henri IV.

Au début de l'été, Champlain reçoit les Montagnais et leurs alliés, les Hurons.

Bienvenue aux Hurons que je rencontre pour la première fois.

Pendant le repas, les hommes s'observent...

Regarde ! Les Indiens mangent en silence.

C'est drôle, les Français parlent en mangeant !

Nous voudrions échanger vos fourrures de castor contre des marchandises françaises...

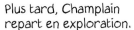

Plus tard, Champlain repart en exploration.

Nous sommes armés en cas d'attaque...

Les canoës indiens sont vraiment légers !

En chemin, un Huron explique à Champlain comment il capture les castors.

Ma bouillie empoisonnée va les tuer !

Plus loin, dans des rapides de la rivière...

Nous sommes en territoire iroquois* !

Souvent, il faut porter les canoës.

Quelle poisse, ces moustiques !

Après des centaines de kilomètres...

Aucun Français n'est venu jusqu'ici. Ce pays est immense ! Il sera long à explorer.

FiN

* Autre tribu indienne (voir ci-contre)

La vie en Nouvelle-France

Au xve siècle, les Français fondent en Amérique une colonie appelée la Nouvelle-France qui donnera naissance au Québec actuel.

1 ⟩ Jacques Cartier le précurseur

En 1492, Christophe Colomb découvre par hasard l'Amérique. Mais ce continent est encore inexploré. En 1534, François Ier, désireux de trouver une nouvelle route maritime vers l'Inde et la Chine ainsi que de l'or, envoie Jacques Cartier. Ce navigateur originaire de Saint-Malo est le premier à pénétrer sur le continent. En 1535, lors de son deuxième voyage, il remonte le fleuve Saint-Laurent et découvre le Canada.

2 ⟩ La fondation de Québec

En 1603, Samuel de Champlain, un cartographe, explore la vallée du Saint-Laurent. Il établit de bons contacts avec les autochtones (les Amérindiens). Après plusieurs allers et retours vers la France, il fonde Québec, un comptoir de commerce. Il développe la traite des fourrures et fait venir des Français pour coloniser le pays qui prend le nom de Nouvelle-France.

Ville-Marie, la future Montréal

L'emplacement de l'actuelle ville de Montréal, au Québec, a été découvert par Jacques Cartier et cartographié par Samuel de Champlain. Mais c'est à Paul de Chomedey de Maisonneuve et à Jeanne Mance, une infirmière, que l'on doit la construction de ses premières maisons, en 1642.

3 ⟩ La vie difficile des colons

La plupart des colons français sont des hommes, qui vivent de la chasse et du commerce de la fourrure. Leur travail est physiquement pénible : il faut construire les maisons en bois et les meubles, cultiver la terre, fabriquer soi-même ses vêtements et ses outils car l'approvisionnement en matériel depuis la France est rare. Les hivers longs et rudes ne leur facilitent pas la vie, de même que les attaques des Iroquois (voir encadré ci-dessous).

Les « filles du roi »

La Nouvelle-France manquait de femmes : la population ne se renouvelait pas. Pour repeupler la colonie, Louis XIV décide en 1663 d'y envoyer des jeunes femmes volontaires pour se marier et fonder des familles. Ces « filles du roi », comme on les appelle, sont souvent des orphelines ou des femmes pauvres. Elles ont été entre 700 et 1 000 à s'embarquer.

4 ⟩ Un commerce fructueux

Les Français installent des postes de traite le long du fleuve Saint-Laurent dès 1625. Là, ils rencontrent les Amérindiens pour faire du troc : ils échangent des produits venus d'Europe (fruits, poudre à fusil, chaudrons, aiguilles à coudre, couvertures, briquets…) contre des peaux et des fourrures de castor. Envoyées en Europe par bateaux, ces fourrures servent à confectionner des vêtements chauds et des chapeaux.

Qui sont les premiers habitants du Canada ?

On les appelle aujourd'hui les Amérindiens. Ce mot désigne plusieurs tribus indiennes : les Algonquins, les Hurons, les Iroquois, les Micmacs, les Abénakis et les Montagnais. Chacune de ces tribus parlait sa propre langue. Les Français ont vite noué des alliances avec les Hurons et les Algonquins. Les Iroquois, ennemis des Hurons et des Algonquins, se sont rangés aux côtés des Anglais contre les Français.

Le bon roi Henri

En 1606, Henri IV règne sur la France depuis douze ans.
Il est très populaire. Pourtant, dans l'ombre,
un ennemi a juré sa perte…

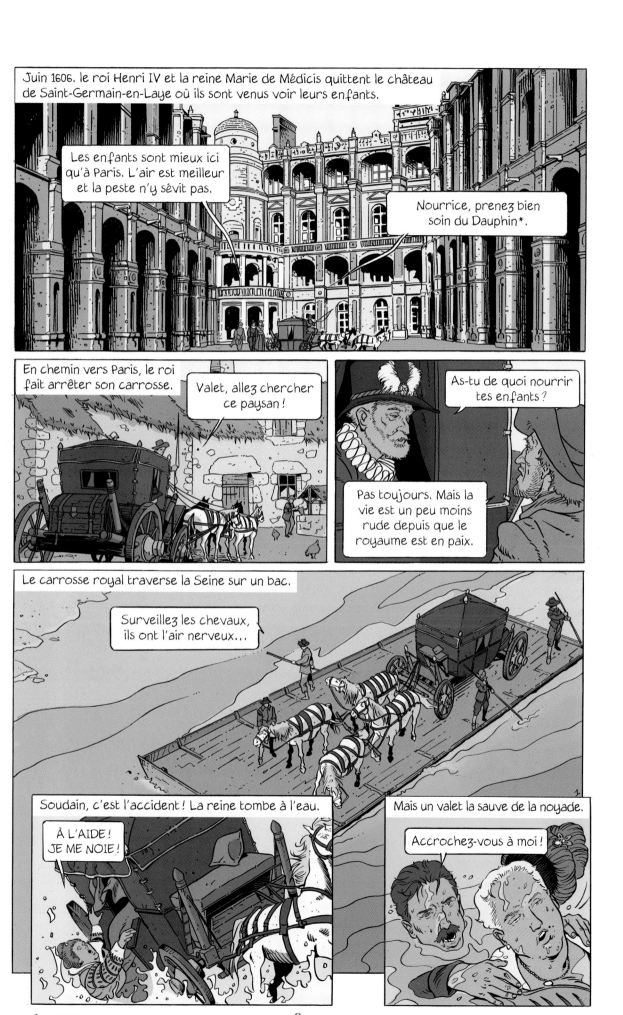

Juin 1606, le roi Henri IV et la reine Marie de Médicis quittent le château de Saint-Germain-en-Laye où ils sont venus voir leurs enfants.

Les enfants sont mieux ici qu'à Paris. L'air est meilleur et la peste n'y sévit pas.

Nourrice, prenez bien soin du Dauphin*.

En chemin vers Paris, le roi fait arrêter son carrosse.

Valet, allez chercher ce paysan !

As-tu de quoi nourrir tes enfants ?

Pas toujours. Mais la vie est un peu moins rude depuis que le royaume est en paix.

Le carrosse royal traverse la Seine sur un bac.

Surveillez les chevaux, ils ont l'air nerveux...

Soudain, c'est l'accident ! La reine tombe à l'eau.

À L'AIDE ! JE ME NOIE !

Mais un valet la sauve de la noyade.

Accrochez-vous à moi !

* Le Dauphin est le fils aîné du roi.

1608. Le matin, au château du Louvre, Henri IV écrit des lettres.

Moi, Henri IV, roi de France et de Navarre...

Il travaille avec son ministre, le duc de Sully.

Sa Majesté a-t-elle bien dormi ?

Peu, cher ami. Cette nuit, j'ai joué aux dés et perdu beaucoup d'argent.

Ensemble, ils règlent les affaires du royaume.

Les travaux pour assécher les marais ont-ils commencé ?

Oui. Les paysans pauvres pourront cultiver ces nouvelles terres.

Alors qu'il joue avec son fils, un ambassadeur arrive.

Le roi d'Espagne voudrait marier sa fille au Dauphin.

Je vais y réfléchir.

L'après-midi, le roi visite un atelier de tapisserie d'art qu'il a créé.

Ces tapisseries fabriquées en France enrichissent le royaume et donnent du travail à des milliers de gens.

Je voudrais décorer le salon de ma nouvelle demeure.

Octobre 1608. Entouré d'une escorte, Henri IV circule dans Paris.

La ville s'embellit et se modernise grâce à moi.

Le voici sur le chantier de la place Royale

Cette place sera la plus belle de Paris.

Mai 1610. Henri IV prépare la guerre. Il réunit ses conseillers.

Nous allons attaquer l'Espagne. Je vous confie le gouvernement du royaume.

Conduisez-moi chez Sully. Je veux le voir avant de rejoindre mes troupes.

Dans une rue de Paris, des charrettes de paille bloquent le carrosse royal.

Que se passe-t-il ?

ATTENTION !

Soudain, un homme se jette sur le roi et le poignarde.

AAAAHHH !

ARRÊTEZ-LE !

Il faut sauver le roi !

Un peu plus tard, au château du Louvre

Le roi est mort et le malheur est grand pour le royaume.

Fin

87

Henri IV, un roi réformateur

Élevé dans les religions catholique et protestante, Henri IV parvient à mettre fin aux guerres de Religion. Grâce à d'importantes réformes, il améliore la vie de ses sujets. À sa mort, le royaume est riche et bien géré.

1 } Un prince protestant

Le prince Henri de Navarre, futur Henri IV, naît à Pau en 1553. Il fait partie de la famille royale par son père. Sa mère, Jeanne d'Albret, lui lègue plusieurs domaines dont la Navarre, située entre la France et l'Espagne. Henri est protestant par sa mère, catholique par son père.

Une enfance à la campagne

Henri passe ses premières années à la campagne. Il parle le béarnais, un dialecte gascon. Il mange, joue et s'habille comme les petits paysans avec lesquels il grandit. Il reçoit tout de même une bonne éducation et apprend le maniement des armes. À 8 ans, il part pour le château de Saint-Germain-en-Laye où il vit avec son père dans l'entourage du roi de France et de Catherine de Médicis.

2 } Mariage sanglant

L'Église est alors divisée entre catholiques et protestants. Pour réconcilier les deux partis, le protestant Henri de Navarre est marié à Marguerite de Valois, catholique et sœur du roi de France Henri III et fille de Catherine de Médicis. Mais ce mariage déclenche un massacre. Le 24 août 1572, à Paris, des catholiques assassinent 2 000 à 3 000 protestants venus assister aux noces. Henri de Navarre perd son ami l'amiral de Coligny. C'est le jour de la Saint-Barthélemy.

Le bilan de la Saint-Barthélemy

La tuerie de la Saint-Barthélemy se prolonge en province jusqu'en octobre 1572. Les historiens estiment qu'il y a eu entre 5 000 et 10 000 morts dans tout le pays. De nombreux protestants s'exilent.

3 } La reconquête du royaume

Henri III meurt en 1589 sans laisser d'héritier. Henri de Navarre devient alors Henri IV. Mais les catholiques refusent de voir un protestant à la tête du royaume. Ils prennent les armes dans plusieurs provinces. Henri va alors se battre pour reconquérir le pouvoir. Il remporte plusieurs victoires mais il est obligé de se convertir au catholicisme en 1593 pour pouvoir entrer dans Paris, toujours catholique. Il est sacré roi dans la cathédrale de Chartres le 27 février 1594.

4 } Les grands travaux du roi

La paix revenue, Henri IV entame des réformes. Il crée des impôts plus justes et améliore les finances du royaume. Il relance l'agriculture grâce à l'assèchement des marais. Il construit des routes pour faciliter les transports. Il développe l'industrie en créant des manufactures de textile. Il transforme et embellit les villes en construisant des ponts et de nouveaux quartiers.

Sully, un ministre très efficace

Maximilien de Béthune, duc de Sully, est d'abord un compagnon d'arme d'Henri IV. Puis il devient son ministre le plus important à partir de 1596. Sully s'occupe de tout : des finances, de l'administration, des affaires militaires, de l'urbanisme, de l'agriculture... S'il vivait aujourd'hui, il accomplirait le travail de six ou sept ministères ! C'est grâce à lui qu'Henri IV a pu mener toutes ses réformes.

Les guerres de Religion

L'Église se divise au XVIᵉ siècle. D'un côté, les protestants veulent rénover la pratique religieuse. De l'autre, les catholiques ne veulent rien changer et restent fidèles au pape. Cette profonde division plonge la France dans la guerre civile pendant presque quarante ans.

1 } Une Église contestée

Aux XIVᵉ et XVᵉ siècles, les guerres, la famine et la peste ont ravagé la France et l'Europe. Pour apaiser leur peur de la mort, les hommes se tournent toujours vers Dieu. Pourtant, certains se sentent de moins en moins proches de l'Église. Ils reprochent au pape et aux évêques de vivre dans le luxe, d'avoir oublié le message du Christ et de ne penser qu'à la politique. Quant aux prêtres, ils sont souvent illettrés et incapables de leur expliquer la Bible. Grâce à la diffusion des livres imprimés, certains fidèles lettrés commencent à lire seuls les Écritures. Ils se rendent compte alors que l'Église abuse de son pouvoir.

2 } La naissance du protestantisme

Martin Luther (1483-1546) est un prêtre allemand. Pour lui, seul le respect des enseignements de la Bible permet à l'homme de ne pas aller en enfer. Il est scandalisé par les indulgences papales qui accordent une remise de peine temporelle en échange d'une somme d'argent. Il traduit la Bible en allemand et exige une réforme de l'Église. Les protestants, appelés en France « huguenots », « calvinistes » ou « réformés », ne reconnaissent pas les prêtres et n'assistent pas à la messe. En revanche, ils sont baptisés et font leur communion. Ils sont chrétiens, comme les catholiques.

3 } Des années de guerre civile

Le protestantisme gagne la France. De 1562 à 1598, la France est déchirée par huit guerres menées au nom de la religion. Ces conflits sont soutenus par des pays étrangers qui prennent parti pour chacun des deux camps : d'un côté, l'Espagne catholique ; de l'autre, l'Angleterre et la Hollande, protestantes. De nombreux nobles, commerçants ou paysans se convertissent à la nouvelle religion. Certains catholiques résistent. Ils fondent la Ligue, une association dirigée par Henri de Guise, un catholique extrémiste qui rêve de monter sur le trône de France à la place d'Henri IV.

4 } L'édit de Nantes

Ce texte de loi a été signé par Henri IV en 1598 après des années de négociation. Il met fin aux guerres de Religion en France en autorisant les protestants à pratiquer librement leur religion. Il garantit aussi leur sécurité et leur donne droit à des emplois royaux (charges), comme les catholiques. L'édit de Nantes marque le triomphe de la tolérance sur le fanatisme religieux.

Qui est Jean Calvin ?

En France, le protestantisme a été propagé par Jean Calvin (1509-1564) à partir de 1540. Comme Martin Luther, ce théologien pense que seules la foi et l'obéissance à Dieu peuvent sauver les hommes. Pour lui, le culte de Dieu ne se fait pas par la messe. Le vrai croyant n'a besoin que de prier, d'assister au prêche (sermon sur la Bible) et de chanter les psaumes. Les calvinistes (protestants) se rassemblent dans les temples, sans crucifix ni décorations.

1682

Une journée dans la vie de Louis XIV

En 1682, la cour du roi Louis XIV vient de s'installer au château de Versailles encore en travaux. Toute la vie des courtisans tourne désormais autour du Roi-Soleil, du matin au soir…

1682. Dans la chambre du roi Louis XIV, au château de Versailles

Sire, irez-vous à la chasse cet après-midi ?

Oui, sauf si je dois régler une affaire urgente.

Voici votre bouillon, Sire.

Merci beaucoup. Avez-vous bien dormi ?

Vers 9 heures, Louis XIV reçoit des membres de sa famille.

Mon fils, êtes-vous heureux d'être bientôt père ?

J'espère surtout que ce sera un garçon.

Votre Majesté semble en pleine forme.

Aux portes des appartements du roi, les courtisans se bousculent.

Vous ne pouvez pas entrer chez le roi.

Le roi n'a plus confiance en lui.

Cet homme s'est aspergé de parfum, mais il sent le cheval.

Après la messe, le roi travaille avec Colbert, son ministre.

Les guerres et l'aménagement du château coûtent cher.

C'est vrai Colbert, mais je veux montrer ma puissance !

À 22 heures, le roi s'assied à table...

Le roi peut me renvoyer si le service est imparfait.

... tandis qu'un valet aide la reine à s'installer.

Ces femmes me sourient, mais elles ne m'aiment pas.

Les courtisans restent debout.

Pourvu que le roi me voie !

La reine a une nouvelle coiffure.

Même chez la reine, il y a des cafards.

Puis, au son des violons, le souper au grand couvert du Roi-Soleil commence...

Servez-moi un verre de champagne.

Mon fils, votre appétit fait plaisir à voir.

Mère, j'ai une faim d'ogre.

Sa Majesté le Roi-Soleil

Louis XIV a gouverné pendant soixante-douze ans. Ce règne, le plus long de l'histoire de France, a fait du pays la première puissance d'Europe.

1 } Un enfant roi

À la mort de son père Louis XIII, en 1643, Louis n'a que 5 ans. Sa mère, Anne d'Autriche, gouverne avec le cardinal Mazarin en attendant la majorité de Louis. Cette période, appelée la régence, est troublée par la révolte des députés et des grands du royaume : la Fronde. Cette rébellion vise à limiter le pouvoir de Mazarin, accusé de prélever trop d'impôts. En 1653, tout rentre dans l'ordre.

2 } Un pouvoir absolu

En 1661, Louis décide de gouverner seul. Il s'entoure d'hommes de confiance : Colbert devient contrôleur des Finances et Louvois, ministre de la Guerre. Vauban est chargé de bâtir des forteresses dans tout le royaume. Louis envoie dans les provinces des intendants chargés de collecter les impôts et d'assurer la police. Il concentre tous les pouvoirs entre ses mains : il est chef de l'Église, des armées et de la justice. C'est la monarchie absolue.

Pourquoi Louis XIV s'appelle-t-il le Roi-Soleil ?

Parce qu'il choisit de s'identifier au Soleil. Dans la mythologie grecque, cet astre est le symbole d'Apollon, le dieu de la Paix et des Arts. Le Soleil symbolise aussi l'ordre et la régularité : tous les jours, il se lève et se couche sur le monde qu'il domine de sa lumière. Louis XIV, à la manière du Soleil, domine ses courtisans qui assistent à son lever et à son coucher.

3 } Des guerres ruineuses

Sitôt roi, Louis XIV déclare la guerre à ses voisins : il veut agrandir le territoire de la France. Il y gagne la Franche-Comté et une partie de la Flandre (région de l'actuelle Belgique). À tour de rôle, les pays européens s'allient pour le combattre. Ces guerres coûtent cher en vies humaines et pèsent sur les finances du pays.

La révocation de l'édit de Nantes

Alors que les guerres de Religion ont ruiné le pays par le passé, Louis XIV commence à persécuter les protestants, dont il se méfie. Il tente de les convertir au catholicisme. Il fait détruire des temples et interdit les mariages entre catholiques et protestants. Puis il finit, en 1685, par révoquer l'édit de Nantes (voir p. 89). Ce texte, en permettant aux protestants de pratiquer leur religion, avait pourtant ramené la paix dans le pays. Environ 300 000 protestants s'exilent.

Les splendeurs de Versailles

Louis XIV fait agrandir un pavillon de chasse qui devient le château de Versailles. La décoration luxueuse, les jardins et les fêtes somptueuses qu'y donne le Roi-Soleil émerveillent les cours européennes.

1 〉 Un chantier pharaonique

Pour construire le château de ses rêves, Louis XIV engage les meilleurs artistes : Le Vau et Hardouin-Mansart dessinent les plans ; Le Nôtre imagine et aménage les jardins ; Le Brun peint les décors à la gloire du Roi-Soleil. Des miroitiers vénitiens réalisent les 357 miroirs de la Grande Galerie (galerie des Glaces). Les travaux durent presque cinquante ans et nécessitent jusqu'à 30 000 ouvriers.

2 〉 Des artistes au service du roi

Louis XIV encourage et finance les arts. Il soutient Molière, l'auteur du *Malade imaginaire* et de *L'avare*, et Charles Perrault, qui a écrit des contes comme *Le petit chaperon rouge* ou *La belle au bois dormant*. Il engage le musicien Jean-Baptiste Lully qui devient surintendant de la Musique et grand compositeur d'opéras pour la Cour.

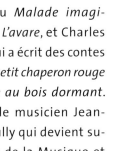

3 〉 Des courtisans sous surveillance

Louis se méfie des grands du royaume, toujours prêts à se révolter. Pour mieux les contrôler, il les fait venir à Versailles. Il leur accorde des faveurs, un titre de noblesse, un logement au château ou des terres. Les nobles qui fréquentent Versailles sont des courtisans. Ils forment une société à part. En échange de ces faveurs, les courtisans doivent servir le roi et lui plaire. La Cour peut rassembler jusqu'à 10 000 personnes.

Une étiquette pointilleuse

L'étiquette est l'ensemble des règles à respecter lorsqu'on se trouve en présence du souverain. Elle détermine comment il faut le saluer et lui adresser la parole ou comment il faut s'habiller. Les courtisans les plus appréciés assistent au lever et au coucher du roi. D'autres sont invités à le regarder manger ou à l'accompagner à la chasse.

4 〉 Les divertissements de la Cour

À Versailles, les courtisans sont invités à des ballets, des pièces de théâtre, des feux d'artifice ou des mariages princiers. Des jeux de table animent les soirées. Les victoires militaires sont célébrées pour récompenser les seigneurs qui ont risqué leur vie pour leur souverain.

Le classicisme

L'architecture au temps du Roi-Soleil est très symétrique, tout en lignes droites. Les façades en belles pierres sont peu décorées et percées de hautes fenêtres. Les jardins, dits « à la française », sont très géométriques avec de belles perspectives, des parterres et des canaux. La nature y est maîtrisée par l'homme. Ce style s'appelle le classicisme. Il est typique du règne de Louis XIV.

Il était une fois la pomme de terre

À la fin du XVIIIe siècle, sous le règne de Louis XVI,
le savant Antoine Parmentier tente de convaincre les paysans
de manger de la pomme de terre. Ce légume, inconnu
en France, pourrait éviter les famines quand
les récoltes sont mauvaises…

* Insectes.

Le soir, à l'heure du souper

J'ai faim. Je veux de la soupe.

Il reste un navet dans la marmite.

La nuit

Tu devrais aller au village. Il y a un savant, M. Parmentier, qui étudie les pommes de terre.

OUIIIN

GRRRROGN

Au printemps...

M. Parmentier peut-il me recevoir ?

Suivez-moi.

Dans la cuisine

Monsieur, il paraît que vous étudiez la pomme de terre.

Oui, je suis pharmacien. Je cherche à améliorer la nourriture des hommes.

Alors, ce n'est pas dangereux ?

Non ! J'ai découvert ce légume quand j'étais prisonnier en Prusse. J'en mange souvent !

Plantez ces semences. Elles vous sauveront peut-être de la famine !

Merci. Vous êtes bien bon.

À Paris, Parmentier continue ses recherches.

J'ai enfin trouvé la recette pour fabriquer du pain avec la pulpe de pomme de terre !

Octobre 1778, dans la boulangerie de l'hôtel royal des Invalides, à Paris

Ce pain est sans farine de blé et il ne faut ni meunier, ni moulin pour le fabriquer.

Quelle découverte ! Tous les journaux vont en parler.

1786...

C'est une lettre du roi de France, Louis XVI.

Monsieur, je vous autorise à cultiver des pommes de terre sur un grand espace, près de Paris...

À Neuilly, près de Paris

Le sol de ce terrain militaire est sec. Espérons que les semences vont pousser...

Mai 1786

Bon sang, il aurait fallu labourer plus tôt.

Les Parisiens, curieux, surveillent la plantation.

Cet homme est fou. Il va récolter des cailloux.

En plus, il n'a pas plu depuis un mois !

Plus tard

Regardez, le feuillage est magnifique.

24 août

Portez ce bouquet de fleurs à Versailles. Demain, c'est la fête du roi.

La France de Louis XVI

Louis XVI monte sur le trône à 20 ans, en 1774. Le royaume est alors en grande difficulté. Dans les villes et les campagnes, artisans et paysans vivent dans la misère à cause des mauvaises récoltes.

1 ⟩ Une monarchie en crise

Louis XV, le grand-père de Louis XVI, n'a pas réussi à réformer l'État et à créer des impôts plus justes. Les parlementaires (députés) s'y sont opposés pour préserver les privilèges des nobles et du clergé. Plusieurs guerres, contre les Anglais et les Autrichiens, ont vidé les caisses de l'État.

2 ⟩ La guerre d'indépendance américaine

Depuis 1620, des colons anglais vivent en Amérique du Nord. En 1775, ils demandent à la France de les aider à obtenir leur indépendance. Le marquis de La Fayette et quelques nobles français acceptent d'y aller. En 1776, les États-Unis deviennent indépendants. Mais cette guerre coûte cher et aggrave les difficultés économiques du royaume.

Un Français au secours des Américains

Le marquis de La Fayette est noble mais il croit aux idées des Lumières. En Amérique, il participe à plusieurs combats dont il sort victorieux, aux côtés de George Washington, le futur premier président des États-Unis. La Fayette est aujourd'hui considéré comme un héros dans ce pays.

3 ⟩ Un roi qui n'aime pas le pouvoir

Louis XVI est jeune et indécis. Il hésite à faire appliquer les réformes qui soulageraient le peuple. Surtout, le métier de roi l'attire peu. Il s'intéresse davantage à la science, à la géographie et aux inventions de son époque. Il passe beaucoup de temps dans ses ateliers privés où il étudie la mécanique, la chimie ou l'horlogerie.

4 ⟩ Marie-Antoinette

Louis XVI est marié à Marie-Antoinette, la fille de l'impératrice d'Autriche. Ensemble, ils ont quatre enfants dont deux meurent très jeunes. D'abord aimée des Français lors de son arrivée en France, Marie-Antoinette est ensuite violemment critiquée pour ses dépenses excessives en bijoux et en robes.

Des famines meurtrières

L'Europe et la France ont connu des famines jusqu'au XIXe siècle. En France, la plus meurtrière est celle de 1693, sous le règne de Louis XIV. Près de 1,3 million de personnes meurent de faim et de maladie. Rapportée à la population d'aujourd'hui, cette famine tuerait l'équivalent de 4 millions de personnes ! Le terrible hiver de l'année 1709, lui, provoque la mort de 600 000 personnes.

Le siècle des Lumières

Au XVIIIᵉ siècle, philosophes, artistes et savants critiquent la monarchie et réclament davantage de liberté. Ils aspirent à un monde nouveau où tous les hommes pourraient être heureux : c'est le siècle des Lumières !

1} Des idées nouvelles

En Angleterre et en France, des philosophes contestent le pouvoir absolu du roi. Ils dénoncent l'intolérance religieuse et l'influence de l'Église. Ils réclament plus de liberté et de justice pour le peuple. Selon eux, l'homme, s'il est éduqué, est capable de penser par lui-même et d'exprimer des opinions personnelles. Ce mouvement, qui vise à éclairer les esprits, s'appelle les « Lumières ». Ses représentants en France sont Voltaire, Rousseau et Montesquieu.

2} Des salons où l'on cause

Les philosophes veulent diffuser ces idées auprès du peuple. Ils se réunissent dans les cafés, les bibliothèques publiques ou chez certaines femmes de la noblesse ou de la bourgeoisie. Ces salons deviennent des lieux de discussions. Dans tout le pays, des marchands ambulants distribuent des journaux qui parlent des Lumières. La science est aussi à la mode : des cours publics de physique ou de chimie sont ouverts à tous les curieux.

L'*Encyclopédie*

Cet énorme dictionnaire illustré rassemble les connaissances des siècles passés, dans les domaines de l'art, de la science et des métiers. Il est publié par deux Français, Diderot et d'Alembert. Plus de 160 rédacteurs y participent et il faudra plus de vingt ans pour l'achever ! L'*Encyclopédie*, malgré les interdictions de l'Église, a eu beaucoup de succès.

3} Des inventions étonnantes

Les savants du XVIIIᵉ siècle veulent comprendre les phénomènes physiques et chimiques. Ils travaillent sur l'électricité ou sur la nature de l'air : le Français Lavoisier, par exemple, découvre que l'air est composé d'oxygène et d'hydrogène. Les frères Montgolfier fabriquent un ballon capable de s'envoler grâce à de l'air chaud. C'est la première fois dans l'histoire que l'homme peut s'élever dans les airs.

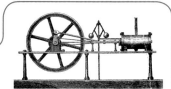

La machine à vapeur

La première machine à vapeur est mise au point par un Anglais, James Watt, en 1784. La vapeur (de l'eau transformée en gaz) exerce une force et peut, par exemple, soulever le couvercle d'une casserole. Cette force va permettre d'actionner toutes sortes de machines industrielles qui vont remplacer l'homme ou l'animal. La machine à vapeur est à l'origine de la révolution industrielle (voir p. 126).

4} L'étude des plantes et des animaux

Au XVIIIᵉ siècle, les naturalistes partent explorer le monde. Ils rapportent de leurs voyages des herbiers, des dessins et des listes d'espèces animales ou végétales inconnues comme, par exemple, le caoutchouc. En France, Buffon est l'un de ces savants. Il est connu pour son *Histoire naturelle*, un ouvrage très complet sur les connaissances en botanique de l'époque. Buffon a aussi dirigé le Jardin du roi, ancêtre de l'actuel Muséum d'histoire naturelle de Paris.

Des explorateurs au service de la science

Après les voyages de découverte des xvᵉ et xviᵉ siècles, les hommes du siècle des Lumières explorent le Pacifique et recherchent un continent mystérieux, l'Antarctique. Parmi eux, voici trois Français célèbres.

1 } Bougainville à Tahiti

Louis-Antoine de Bougainville est le premier Français à réaliser un tour du monde, 250 ans après l'expédition de Magellan (voir p. 77). Son voyage l'amène à Tahiti. À son retour, Bougainville raconte dans un livre, *Voyage autour du monde*, qu'il y a rencontré les hommes les plus heureux de la Terre. Il revient d'ailleurs avec l'un d'eux, nommé Aoutourou. Son voyage permet d'établir des cartes plus précises de l'océan Pacifique.

La bougainvillée
Bougainville embarque avec lui trois savants dont le naturaliste Philibert Commerson. Lors d'une escale au Brésil, Commerson découvre une fleur inconnue. En hommage à Bougainville, il la nomme « bougainvillée ».

2 } La Pérouse sur les traces de Cook

Jean-François de La Pérouse part explorer le Pacifique à la demande de Louis XVI. Sa mission est de compléter les découvertes du navigateur anglais James Cook. En 1785, il embarque à bord de la *Boussole* et de l'*Astrolabe* avec une équipe de savants. Il accoste à l'île de Pâques pour étudier les statues. Puis il explore Hawaii, longe les côtes de la Sibérie, de la Chine et du Japon avant de descendre vers l'Australie et... de disparaître.

Un naufrage enfin élucidé
On sait aujourd'hui que l'expédition Lapérouse a fait naufrage près de l'île de Vanikoro, au large de l'Australie. Des objets (lunette astronomique, canon, vaisselle, pièces de monnaie…) et le squelette d'un membre de l'équipage ont été retrouvés lors de fouilles. On sait aussi que des hommes ont survécu au naufrage et ont vécu quelque temps sur l'île, parmi les habitants.

3 } Charles de La Condamine

En 1735, on l'envoie au Pérou et en Laponie. Ce voyage permet de confirmer que la Terre est une sphère aplatie aux pôles. En remontant le fleuve Amazone, il étudie aussi le curare, poison avec lequel les Indiens empoisonnent leurs flèches !

La fin du premier Empire colonial français

C'est pendant les règnes de Louis XV et de Louis XVI que la France perd les premières colonies de son histoire : la Nouvelle-France (voir p. 83) et la Louisiane, en Amérique, mais aussi l'Inde. Elle ne résiste pas à la concurrence de l'Angleterre, qui se retrouve à la tête d'un empire immense et devient en 1815 la première puissance mondiale.

La traite des Noirs

Du xvie siècle au xixe siècle, les Européens dont les Français organisent le commerce des esclaves entre l'Europe, l'Afrique et l'Amérique. Entre 12 et 15 millions d'Africains seront victimes de ce trafic d'êtres humains.

1 ⟩ Un Nouveau Monde à exploiter

Avec la découverte de l'Amérique et des Antilles, les Européens s'emparent de nouvelles terres. Ils ont besoin d'une main-d'œuvre nombreuse et gratuite pour les cultiver.

2 ⟩ Esclaves contre marchandises

Les négriers se rendent en Afrique à bord de navires chargés de marchandises (armes, vin, perles...). Là, ils rencontrent des marchands d'esclaves arabes et des rois de tribus africains avec qui ils échangent leur cargaison contre des hommes, des femmes et des enfants capturés dans les villages.

Les plantations
Ce sont des propriétés agricoles. En Amérique, on y cultive du tabac, du café, du coton ou de l'indigo, une plante qui sert à teindre les vêtements. Aux Antilles, les Français cultivent la canne à sucre ou la banane. Les esclaves des plantations vivent dans des cases, des cabanes en bois.

3 ⟩ La traversée vers l'Amérique

Après avoir rempli leurs cales d'esclaves, ils traversent l'Atlantique avec à leur bord parfois plus de 600 esclaves. Enchaînés et entassés, les esclaves sont fouettés s'ils refusent de manger ou s'ils se révoltent. Du fait des mauvais traitements et des conditions d'hygiène épouvantables, plus d'un esclave sur dix meurt pendant le voyage.

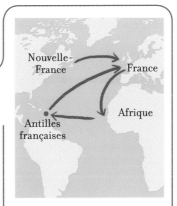

Le commerce triangulaire
Le trajet des navires entre l'Europe, l'Afrique et l'Amérique forme un triangle. C'est pourquoi on appelle ce trafic d'êtres humains le « commerce triangulaire ». En France, les navires négriers partaient essentiellement de Nantes, Bordeaux et Le Havre.

Le Code noir

Ce texte de loi est publié au xviie siècle sous Louis XIV. Il précise les conditions de vie des esclaves dans les colonies françaises. Ses mots sont très durs : les esclaves y sont considérés comme des sous-hommes sans aucun droit. Leur maître peut les punir et même les tuer en cas de révolte. Les enfants d'esclaves deviennent à leur tour des esclaves. La France n'abolira définitivement l'esclavage qu'en 1848, quinze ans après l'Angleterre.

4 ⟩ La vie en Amérique

Les esclaves sont vendus aux planteurs dans des marchés où ils sont exposés comme des animaux. Femmes et enfants, maris et femmes peuvent être séparés. Tous sont marqués au fer rouge au nom de leur propriétaire. Les fuyards sont sévèrement punis, voire tués. Les esclaves travaillent jusqu'à seize heures par jour, surveillés par des gardiens munis de fouet.

temps modernes

1789

La prise de la Bastille

Depuis quelques mois, la colère gronde dans le pays.
Le peuple a faim et ne supporte plus les privilèges des nobles.
Le 14 juillet 1789, à Paris, une poignée d'hommes décident
de s'emparer de la prison de la Bastille…

Chez Adrien et sa famille, les Duchamp.

Mon fils Adrien a bien fait de vous inviter...

Merci M. Duchamp ! Depuis que je suis veuve, c'est très dur.

Impossible de trouver du travail en ce moment !

L'après-midi, dans leur atelier.

Même les riches hésitent à acheter du mobilier. Mon carnet de commandes se vide.

Y a des ateliers où les ouvriers se sont révoltés : leur patron ne les payait pas assez.

Plus tard, devant une boulangerie.

Eh ! Poussez pas !

Si ça continue, il n'y aura plus de pain. Les récoltes de blé ont été catastrophiques cette année.

Qu'allons-nous manger si le pain est toujours plus cher ?

Trois mois plus tard, le 12 juillet 1789.

Toc ! Toc !

Adrien fait une livraison chez de riches bourgeois.

Je pensais que tu ne viendrais pas. Les rues deviennent dangereuses avec tous ces miséreux.

Pose-le là.

Il faut plus de justice pour nous et pour le peuple.

Les nobles ont tous les droits et ne paient pas d'impôts.

Le roi Louis XVI a peur d'une révolte. Ses troupes encerclent Paris.

Mardi 14 juillet 1789, 10 heures.

Il nous faut des fusils contre les soldats du roi.

On fonce aux Invalides ! Il y a un dépôt d'armes.

Regardez, y a presque pas de gardes !

Mettons les grilles à terre !

Dans les caves des Invalides.

On a des fusils et des canons. Il ne manque plus que la poudre !

À LA BASTILLE !

Ouais ! Y a de la poudre dans cette forteresse !

Vers midi, devant la prison de la Bastille.

De la poudre ! On veut de la poudre !

Abaissez le pont-levis !

Ne tirez pas ! J'attends les ordres du roi.

Ces gens sont désespérés !

À 15 h 30, l'assaut est donné.

EN AVANT !

Ils ont brisé les chaînes du pont-levis.

Cachons-nous derrière ces charrettes.

PAN !

PAN !

PAN !

AAAAHH

À mort, les soldats du roi !

Cherchons la poudrière...

Une fois dans la prison...

J'ai trouvé...

Vous êtes libre !

À 17 h 30, la Bastille est prise.

Je suis le gouverneur de la Bastille. Je capitule. Ne me tuez pas...

VENGEANCE !

On a massacré le gouverneur !

Sa tête est notre trophée !

Le 15 juillet, à l'aube.

Que va-t-il se passer pour nous maintenant ?

Retournons à la Bastille !

La démolition de cette prison royale est un symbole…

Oui ! Le roi n'a plus le droit d'emprisonner des gens injustement.

Tiens, gamin ! Un souvenir de la prise de la Bastille.

Le 17 juillet 1789, place de l'Hôtel de Ville, à Paris.

Cette journée est exceptionnelle.

Le roi va bientôt arriver ?

Le carrosse du roi approche…

LE VOILÀ !

Moi, Bailly, maire de Paris, je vous remets ce ruban bleu, blanc, rouge. Il est le symbole des révolutionnaires et de la France.

FiN

108

L'année 1789

1 } Du pain !

Depuis 1787, les récoltes sont mauvaiseses, le blé manque et le prix du pain augmente. Le pays traverse une grave crise économique. Malgré tout, les paysans doivent toujours payer des impôts et accomplir des corvées tandis que la Cour continue de vivre dans le luxe. En ville, les ouvriers et les artisans n'ont pas de travail et connaissent la misère.

2 } Des milliers de plaintes

Au printemps 1789, les Français sont invités par leurs députés à écrire leurs réclamations au roi, avec l'aide de maîtres d'école ou de notaires. Ces demandes sont consignées dans 60 000 cahiers de doléances. Voici les principales : faire payer la taille, l'impôt le plus lourd, à tous les Français et non plus seulement aux paysans ; limiter le pouvoir absolu du roi et supprimer les privilèges des seigneurs.

3 } Les députés réunis à Paris

Pour tenter de calmer les esprits, Louis XVI convoque les députés : ce sont les états généraux. Venus de toute la France, 1 200 députés y participent. Ils viennent avec les cahiers de doléances et espèrent obtenir des réformes. Mais le roi ne veut rien entendre.

4 } Les journées révolutionnaires

Les députés du tiers état se révoltent : ils décident de se réunir en une Assemblée nationale constituante. Cela veut dire qu'ils veulent écrire de nouvelles lois pour le pays. Le roi prend peur. Il ordonne à ses troupes de cerner Paris et Versailles. Pour mieux se défendre, les Parisiens s'emparent le 14 juillet des fusils qui se trouvent aux Invalides. Dans les campagnes, les paysans pillent les châteaux.

Le serment du Jeu de paume
Lorsque les députés du tiers état ont décidé de créer une Assemblée nationale constituante, ils se trouvaient dans un gymnase où se pratiquait d'habitude le jeu de paume (ancêtre du tennis). C'est là qu'ils se sont juré de donner de nouvelles lois à la France.

La France en 1789

Avec 28 millions d'habitants, la France est en 1789 le pays le plus peuplé d'Europe. La société est divisée en trois groupes appelés « ordres » : la noblesse, le clergé et le tiers état. Le tiers état représente 96 % de la population. Il est composé de paysans, d'ouvriers, d'artisans et de bourgeois (banquiers, commerçants, avocats). Le roi, la noblesse et le clergé détiennent le pouvoir et la richesse. Cette situation est dénoncée par les philosophes des Lumières (voir p. 101).

Dix ans de révolution

De 1789 à 1799, la France connaît de grands changements.
L'Ancien Régime disparaît. Les idées des Lumières triomphent
et donnent naissance à une nouvelle société.

Article 8 :

1) Des lois qui changent tout

Deux textes importants sont votés en août 1789. Le premier, l'abolition des privilèges, prive les nobles et le clergé de leurs avantages : ils ne peuvent plus exiger des taxes et des corvées. Le deuxième, la Déclaration des droits de l'homme, proclame que tous les hommes sont libres et ont les mêmes droits.

2) Un roi en prison

Après le vote de ces deux textes, nombre de nobles s'exilent et Louis XVI n'accepte pas que ses pouvoirs soient limités. Il tente avec sa famille de s'enfuir à l'étranger. Mais il est arrêté et ramené à Paris. Bientôt, il est enfermé aux palais des Tuileries puis à la prison du Temple. Louis XVI est considéré comme un traître : le peuple n'a plus confiance en lui.

3) La guerre contre l'Autriche

Le 20 avril 1792, l'Assemblée déclare la guerre à l'Autriche, le pays d'origine de la reine Marie-Antoinette. Au début, les Français sont battus. L'Assemblée lance un appel au peuple : des milliers de volontaires partent à la guerre pour empêcher l'invasion de la France par l'Autriche. Puis c'est la victoire, à Valmy. Cette bataille est décisive : c'est la première victoire militaire de la Révolution.

4) Un nouveau régime : la république

La république est proclamée le 22 septembre 1792, deux jours après Valmy. C'est la fin de la monarchie. Dans un pays républicain, le pouvoir appartient au peuple qui élit ses représentants, les députés. Ceux-ci siègent à l'Assemblée nationale et décident des lois.

Les symboles de la Révolution

◆ **Le drapeau tricolore :** avant la Révolution, le drapeau était blanc avec des fleurs de lys. Il représentait la France et la royauté. Après, il devient bleu, blanc, rouge. Le bleu et le rouge étaient les couleurs de Paris.
◆ *La Marseillaise :* ce chant de guerre est composé par Claude Rouget de Lisle en 1792. Rendu célèbre par des Marseillais, il est déclaré chant national le 14 juillet 1795 puis hymne national en 1879.
◆ **La devise :** Liberté, Égalité, Fraternité. Ces mots sont inspirés des idées des Lumières. Depuis 1958, ils sont inscrits dans la Constitution de la France.

5 } La mort du roi et de la reine

Le peuple n'a pas pardonné au roi sa tentative de fuite. Il le condamne à mort et le guillotine le 21 janvier 1793. Marie-Antoinette meurt à son tour le 16 octobre 1793.

6 } La Terreur

En 1793, certains députés craignent que la Révolution se termine à cause de certains nobles qui veulent restaurer la monarchie. Peu à peu, une dictature se met en place, dirigée par Maximilien de Robespierre. La dictature est un régime politique qui prive les citoyens de toutes leurs libertés. Pendant cette période appelée la Terreur, des milliers de personnes ont été guillotinées, parfois sans procès.

La guillotine

En 1789, deux médecins, Louis Antoine et Joseph Guillotin, inventent la guillotine. Ils veulent donner aux condamnés une mort rapide et sans douleur ! Auparavant, les condamnés étaient décapités à la hache. La guillotine a été utilisée en France jusqu'en 1977 puis la peine de mort a été abolie en 1981.

À la mode révolutionnaire

Certains révolutionnaires se font appeler les « sans-culottes » : ils ne portent pas la culotte des nobles mais un pantalon rayé, complété par une veste courte, appelée la carmagnole, ainsi que le bonnet phrygien, symbole de liberté. Les sans-culottes sont des artisans et des commerçants parisiens. Ils se tutoient et s'appellent « citoyen, citoyenne » entre eux.

Une nouvelle organisation administrative

◆ **Les départements :** avant la Révolution, la France était divisée en provinces, avec des lois et des impôts différents. En 1790, les provinces sont remplacées par 83 départements, tous gouvernés de la même manière.

◆ **L'état civil :** les dates de baptême, de mariage et de décès étaient inscrites par les prêtres sur des cahiers : les registres paroissiaux. En 1792, ce travail est confié aux mairies. Les registres paroissiaux sont remplacés par les registres d'état civil. Le mariage devant le maire devient obligatoire, le divorce est autorisé.

◆ **Les poids et mesures :** il existait autrefois plus de 700 unités de mesure de longueur, de volume et de poids différentes ! En 1795, une loi impose le mètre, le kilogramme et le litre. On les utilise toujours aujourd'hui.

Napoléon
à la conquête du pouvoir

Juste avant la Révolution, un jeune homme nommé
Napoléon Bonaparte monte à Paris pour apprendre
le métier de soldat. En quelques années, il conquiert
le pouvoir et devient empereur des Français.

15 août 1769. La famille Bonaparte, qui vit en Corse, s'agrandit.

Nous l'appellerons Napoléon, comme son oncle.

Tout petit, Napoléon adore commander ses camarades de jeux.

C'est moi le chef ! On va jouer à la guerre.

Tu as encore déchiré ton pantalon ! Maman va te gronder.

À 9 ans, Napoléon quitte son île avec son frère aîné. Ils partent faire des études sur le continent.

Tu vas apprendre le métier de soldat.

Mais papa, je ne parle pas français, on va se moquer de moi.

À l'école militaire de Brienne, Napoléon est premier en mathématiques.

Cette opération est juste. Si seulement vous étiez aussi fort en latin !

Après la classe, Napoléon se réfugie souvent à la bibliothèque.

Hé, le petit Corse, tu viens jouer ?

Non, je préfère être tout seul.

À 15 ans, il entre à l'école militaire de Paris.

Un ans plus tard, il est reçu aux examens.

Vous allez monter et démonter ces fusils à baïonnette.

Je ne suis que 42e. Mais me voilà enfin officier.

En 1789, la révolte gronde en France. Avec son régiment, Napoléon essaye de stopper les pillages.

Rattrapez-les, ils ont volé des miches de pain !

Je n'aime pas ces canailles ! Mais je les comprends, ils sont si pauvres.

Quelques années plus tard...

Nous avons besoin d'officiers. Je vous nomme capitaine.

En 1793, pendant le siège de Toulon, il dirige l'attaque contre la marine anglaise.

Je dois montrer mes talents de chef militaire.

Il est infatigable. On le surnomme le « capitaine canon ».

En 1796, Napoléon Bonaparte est général.
Il épouse Joséphine de Beauharnais.

Je vous déclare mari et femme.

Mais très vite, il doit quitter la France.

Si vous le désirez, je viendrai vous rejoindre.

Mio dolce amor, je vous écrirai tous les jours.

À la tête de 36 000 soldats, Napoléon chevauche vers l'Italie.

Je dois repousser les Autrichiens qui occupent le Nord de ce pays.

Le soir au bivouac, Napoléon encourage ses soldats.

Je vous promets la gloire et des richesses. Mais vous devrez toujours m'obéir.

Les batailles s'enchaînent. En novembre 1796, à Arcole...

Soldats, À L'ATTAQUE ! La victoire dépend de vous !

C'est un chef exceptionnel.

Canonniers, FEU !

En 1798, Napoléon est envoyé en Égypte.
Il dirige une expédition militaire et scientifique.

Le gouvernement de France s'est débarrassé de moi. Mes succès militaires dérangent.

Grâce à moi et aux travaux de ces savants, le monde va redécouvrir une civilisation disparue.

De retour en France, Napoléon complote pour s'emparer du pouvoir.

En novembre 1799, il réussit un coup d'État.

Napoléon travaille jour et nuit...

Bientôt, il règne comme un roi.

En 1804, à Saint-Cloud, Napoléon est nommé empereur.

À Paris, le 2 décembre 1804, le cortège du sacre traverse le Pont-Neuf.

Un jeune Corse ambitieux

1) Une enfance studieuse

Napoléon Bonaparte naît le 15 août 1769 en Corse, dans une famille noble mais pauvre. À 10 ans, il entre à l'école militaire de Brienne, dans l'est de la France. Il lit beaucoup de livres d'histoire et se révèle bon en mathématiques. Il se fait peu d'amis car les autres élèves se moquent de son accent corse.

2) Lieutenant à 16 ans

À 15 ans, Bonaparte entre à l'école militaire de Paris. Il apprend à commander, à monter à cheval et à manier les armes. Un an plus tard, le voilà lieutenant. En 1789, la Révolution éclate. Bonaparte se passionne pour les idées révolutionnaires qui parlent de liberté et de justice pour tous.

3) Première mission réussie

En 1793, la France est devenue une république mais elle est attaquée par l'Autriche et l'Angleterre. Les autorités envoient Bonaparte libérer Toulon, occupé par les Anglais. Il réussit sa mission grâce à un plan d'attaque ingénieux et à son courage. Il gagne le surnom de « capitaine canon ».

4) Enfin général !

En 1795, les partisans du roi, les royalistes, veulent reprendre le pouvoir. Des conflits éclatent dans l'ouest de la France : ce sont les guerres de Vendée. À Paris, Napoléon Bonaparte se bat contre les royalistes et sauve la République. On le nomme général pour le récompenser. C'est alors qu'il rencontre Joséphine de Beauharnais, dont il tombe amoureux.

Joséphine de Beauharnais
Née en Martinique dans une riche famille de planteurs, Joséphine épouse d'abord le vicomte de Beauharnais. Elle en a deux enfants, Eugène et Hortense. Après la mort de son mari, elle s'unit à Bonaparte en 1796. Ils divorceront en 1809 à la demande de Napoléon car Joséphine ne peut plus avoir d'enfants.

La campagne d'Égypte

En 1798, Bonaparte propose aux députés de s'emparer de l'Égypte. Il emmène avec lui des savants pour étudier la civilisation des pharaons, oubliée depuis des siècles. L'expédition militaire est un échec. En revanche, les savants rapportent de nombreux dessins de pyramides, d'animaux et d'arbres.

5) De grandes victoires

La guerre avec l'Autriche et l'Angleterre continue. Le général Bonaparte prend la tête de l'armée d'Italie où il remporte de grandes victoires, à Arcole puis Rivoli. Il fonce ensuite sur Vienne, la capitale de l'Autriche, ce qui oblige l'empereur d'Autriche à signer la paix en 1797. Bonaparte devient très populaire.

Napoléon Iᵉʳ, un empereur qui a modernisé la France

Durant les dernières années de la Révolution, la France est plongée dans le désordre. À son retour d'Égypte, Bonaparte prend le pouvoir par un coup d'État. Napoléon Iᵉʳ règnera quinze ans, pour le meilleur et pour le pire.

1) Le coup d'État

En 1799, brigands et royalistes sèment la violence dans le pays. Les députés sont incapables de ramener l'ordre. Avec l'aide de 6 000 soldats, Bonaparte met fin à la République. Il fait proclamer un nouveau régime, le Consulat. Le 2 décembre 1804, il se fait sacrer empereur et concentre tous les pouvoirs entre ses mains.

2) Une nouvelle administration

Napoléon réorganise la France. Il nomme des préfets à la tête des départements pour qu'ils appliquent ses ordres. Il fait collecter les impôts par de nouveaux fonctionnaires : les inspecteurs du Trésor. Il crée une monnaie unique, le franc germinal, ainsi que des écoles primaires et des lycées.

Le Code civil

Ce livre de lois organise les relations sociales et familiales de tous les Français. Il confirme les idées de la Révolution : égalité, laïcité et droit de propriété. Il précise les règles du divorce et d'adoption d'enfants. Il renforce l'autorité du père sur ses enfants et du mari sur sa femme. Le Code civil a influencé tous les pays d'Europe. Aujourd'hui, il a été modifié mais il est toujours appliqué.

3) Le retour de la paix

En 1801 et 1802, Napoléon signe la paix avec l'Autriche et l'Angleterre. Pour réconcilier les Français entre eux, il autorise les royalistes exilés à revenir en France. Il passe un accord avec le pape pour se réconcilier avec l'Église, combattue par les révolutionnaires : le Concordat.

Le style Empire

Sous Napoléon, les architectes s'inspirent de l'Égypte et de l'Antiquité grecque et romaine. Ils ornent les façades des immeubles de sculptures d'animaux (lion, aigle, cygne, sphinx...) et de motifs végétaux. Pour les meubles, les ébénistes utilisent des bois précieux comme l'acajou ainsi que le bronze doré. Ce style a été appelé « style Empire » car il s'est développé à l'époque de l'Empereur.

4) La rénovation de Paris

Au temps de Napoléon, Paris a encore l'allure d'une ville du Moyen Âge : ses rues sont sales et tortueuses. L'Empereur fait percer de nouvelles voies et construire des ponts. Il aménage des trottoirs, des égouts, des canaux et des fontaines pour améliorer la propreté et l'approvisionnement en eau. Des monuments sont érigés à sa gloire : l'Arc de triomphe, la colonne Vendôme...

Les guerres napoléoniennes

1) Une France de plus en plus puissante

Napoléon inquiète les pays européens car il contrôle déjà la Hollande, la Suisse et le nord de l'Italie. Pire, il menace d'envahir l'Angleterre ! En 1805, celle-ci, alliée à la Russie et à l'Autriche, détruit la flotte française à Trafalgar, au sud de l'Espagne.

La Grande Armée

Napoléon dispose d'une puissante armée, appelée la Grande Armée. L'Empereur en fait l'une des meilleures au monde, avec des soldats bien entraînés et fidèles. Ses soldats ont été baptisés « grognards » car ils se plaignaient sans cesse de ne pas avoir assez à manger.

2) L'Europe sous domination

Napoléon réplique à la destruction de la flotte française en attaquant. Il bat l'Autriche et la Russie à Austerlitz, Friedland et Wagram, et la Prusse à Iéna. En 1810, la France règne sur une grande partie de l'Europe. Elle compte 130 départements et dix royaumes dirigés par la famille ou les amis de Napoléon.

3) La guerre contre l'Angleterre

Napoléon veut affaiblir l'Angleterre, son ennemie la plus acharnée. Pour cela, il faut l'empêcher de vendre ses marchandises. L'Empereur décide d'interdire aux navires anglais d'aborder dans les ports européens : c'est le blocus. Mais l'Espagne et le Portugal, pourtant alliés à la France, refusent d'obéir à l'Empereur. Napoléon les envahit !

L'Europe napoléonienne en 1812

Par ses actions militaires et ses alliances, Napoléon étend son empire de la Belgique et la Hollande au nord jusqu'à Rome au sud et la Pologne à l'est.

- ● Empire français
- ● Annexions napoléoniennes
- ✶ Grandes batailles

Carte : PRUSSE, Berezina, Grand-duché de Varsovie, Waterloo, Iéna, RUSSIE, Austerlitz, EMPIRE FRANÇAIS, Confédération du Rhin, Roy. d'Italie, EMPIRE D'AUTRICHE, ESPAGNE, Trafalgar, Roy. de Naples, EMPIRE OTTOMAN

4) La fin de l'Empire

À son tour, la Russie ouvre ses ports aux Anglais. Napoléon se lance à sa conquête en 1812. Mais cette campagne militaire est un désastre. Plus de 500 000 hommes meurent ou sont faits prisonniers. En 1814, Napoléon doit abdiquer. Il est exilé à l'île d'Elbe, au large de l'Italie.

5) L'exil à Sainte-Hélène

Napoléon s'échappe de l'île d'Elbe en 1815. Pendant cent jours, il revient au pouvoir grâce à son armée. Mais le 18 juin, il perd face aux Anglais, à Waterloo, en Belgique. Il est exilé à Sainte-Hélène, une île de l'océan Atlantique. Il y meurt en 1821, à 52 ans.

Le travail des enfants

Anselme et sa sœur Louise doivent travailler dur pour aider leurs parents aux champs. Un jour, ils déménagent pour aller à la ville et rejoindre les centaines d'ouvriers de l'usine…

1838. Trois ans plus tard, la famille Martin a déménagé près de la ville.

Réveillez-vous, il est cinq heures...

Clément a encore pissé au lit ! J'suis trempé...

Louise, tu surveilleras Clément, il a de la fièvre.

En chemin vers l'usine...

Salut Gervaise, où est ton homme ?

Il est parti plus tôt pour réparer une machine.

Tiens, Anselme. Prends ce quignon de pain.

Et toi, tu vas manger quoi ?

Dépêche-toi tu vas être en retard...

6 h 05, les machines sont déjà en marche. Dans l'usine, René, le chef d'atelier surveille les ouvriers.

Cinq minutes de retard ! La prochaine fois tu as une amende.

J'gagne déjà pas grand-chose...

Dans le bureau du directeur...

Monsieur le directeur...

Ah, René ! Le monsieur est médecin...

Vous allez lui faire visiter l'usine.

Je fais une enquête sur le travail des ouvriers.

Hou là, ce gars va nous casser les pieds !

Le combat pour les droits des enfants

Pendant des siècles, les enfants ont été considérés comme la propriété de leurs parents. Ils pouvaient être vendus, exploités, maltraités ou abandonnés. Tout change à partir du XIXe siècle.

1 } Des idées venues des Lumières

Au XVIIe et au XVIIIe siècle, des humanistes et des philosophes français comme Jean-Jacques Rousseau réfléchissent déjà à l'éducation des enfants. Mais c'est à partir de la Révolution que les lois évoluent : en 1793, la Constitution affirme le droit à l'éducation et à l'assistance pour les enfants. En 1795, une loi oblige à créer une école pour mille habitants.

2 } Le droit à l'éducation

Tout au long du XIXe siècle, les lois commencent à limiter le travail des enfants. On interdit aux moins de 10 ans de descendre dans les mines. La journée de travail dans les usines est réduite à 6 heures par jour pour les moins de 12 ans. En 1882, l'école laïque et gratuite devient obligatoire pour les enfants de 6 à 13 ans grâce aux lois du ministre Jules Ferry.

3 } Le droit au respect de son corps

Jusqu'à la fin du XIXe siècle, les adultes punissaient les enfants par le fouet, en leur tirant les oreilles ou les cheveux. Certains les privaient de nourriture, les battaient ou les enfermaient. Les pères pouvaient les faire interner dans des maisons de correction sans avoir besoin de l'autorisation de la mère. En 1898, une première loi réprime les châtiments corporels et les actes de cruauté envers les enfants.

Cosette
En 1862, Victor Hugo publie son roman *Les misérables*. Il invente le personnage de Cosette, une fillette maltraitée par un couple d'aubergistes, les Thénardier. Le roman aura beaucoup de succès. Après sa parution, plusieurs lois et associations sont créées en France pour protéger les enfants.

La Convention internationale des droits de l'enfant

Ce texte de loi a été adopté par l'Organisation des Nations unies en 1989. Il s'applique dans tous les pays du monde, sauf aux États-Unis et en Somalie qui ne l'ont pas signé. La Convention précise les droits spécifiques des êtres humains âgés de moins de 18 ans : le droit à la vie, à la protection contre les violences, aux soins, à l'éducation, au repos et au jeu.

La révolution industrielle

Dès la fin du XVIIIe siècle, découvertes scientifiques et inventions techniques transforment la vie des Européens. C'est la révolution industrielle qui va donner naissance à la France du XXe siècle.

1) La vapeur, une énergie révolutionnaire

En 1769, l'Écossais James Watt met au point le premier moteur à vapeur (voir p.101). Cette invention est à l'origine de la révolution industrielle. Vers la fin du XIXe siècle, d'autres énergies remplaceront la vapeur : l'électricité et le pétrole.

L'ancêtre de la voiture
En 1770, le Français Nicolas-Joseph Cugnot invente le fardier. Ce chariot équipé d'une chaudière à vapeur peut transporter jusqu'à 5 tonnes de canons. Il roule lentement (4 km/h) mais freine très mal : lors d'un essai, Cugnot défonce un mur !

2) Des machines à la place des hommes

Pendant des siècles, seule la force humaine ou animale permettait d'actionner toutes sortes d'outils. Le travail était lent et difficile. Au XIXe siècle, les tâches se mécanisent. Dans les usines, de nouvelles machines équipées de moteurs à vapeur font marcher des marteaux-pilons ou des métiers à tisser. Le travail s'accélère et la production augmente.

3) De la campagne à la ville

Avec les progrès de l'agriculture, il y a moins besoin de paysans pour cultiver la terre. Certains se retrouvent au chômage et vont travailler en ville dans les usines : c'est l'exode rural. À cause des machines qui travaillent plus vite qu'eux et pour moins cher, des petits artisans sont obligés d'abandonner leurs ateliers. Eux aussi se retrouvent à l'usine.

4) Un travail à la chaîne

Ces travailleurs forment une nouvelle classe sociale : les ouvriers. Leurs tâches sont pénibles, dangereuses et répétitives : ils travaillent à la chaîne, à un rythme rapide et sous la surveillance de contremaîtres. Ils touchent des salaires misérables pour des journées de travail de plus de douze heures, du lundi au samedi. Peu à peu, les ouvriers s'unissent dans des syndicats pour défendre leurs droits.

5) Des conditions de vie misérables

À cause des loyers très chers et des transports peu développés, les ouvriers sont obligés d'habiter près des usines, dans des logements petits et humides. Ils développent des maladies comme la bronchite ou la tuberculose. Ils se nourrissent mal et souffrent souvent d'alcoolisme. En général, ils vivent entre dix et vingt ans de moins que les bourgeois !

6 Une bourgeoisie toujours plus riche

À l'inverse, une petite partie (3 %) de la société s'enrichit : c'est la haute bourgeoisie. Elle est composée de banquiers et d'industriels. Ces gens, éduqués et riches, peuvent investir de l'argent dans les machines et créer des usines. Ils vivent confortablement, parfois dans des hôtels particuliers, et emploient des domestiques.

7 Des transports plus rapides

Le moteur à vapeur donne naissance à de nouveaux moyens de transport : les bateaux à vapeur remplacent les voiliers ; la première ligne de chemin de fer est ouverte en France en 1827 grâce à l'invention de la locomotive à vapeur. Il devient plus facile de transporter des marchandises et des matières premières utiles aux usines : le commerce se développe. Les bourgeois utilisent le train pour partir au bord de la mer, en Normandie. C'est le début du tourisme.

Paris revu par le baron Haussmann

Le préfet Georges Eugène Haussmann transforme la capitale à la demande de Napoléon III. Il fait percer de grandes avenues et crée des places et des jardins (parcs des Buttes-Chaumont, Montsouris, Monceau). Il aménage les bois de Vincennes et de Boulogne. Il fait également abattre 20 000 immeubles pour en reconstruire 30 000, tous conçus sur le même modèle : c'est le style haussmannien.

8 Des villes plus modernes

Les villes se transforment et s'agrandissent. Des quartiers populaires misérables apparaissent en même temps que les gares qui accueillent les trains à vapeur. Le commerce change : désormais, les plus riches peuvent faire leurs courses dans les grands magasins. Contrairement aux petites boutiques, on y trouve une grande variété de produits et les prix sont affichés. On peut y échanger une marchandise qui ne convient pas et s'y promener sans acheter.

Des monuments de fer

Au XIXᵉ siècle, l'acier est un matériau nouveau, solide et plus léger que la fonte. Les ingénieurs l'utilisent de plus en plus pour élever des monuments, des bâtiments industriels, des gares ou des ponts. Gustave Eiffel est l'un d'eux. Il est devenu célèbre grâce à la tour qui porte son nom à Paris, mais aussi pour avoir construit la structure métallique qui se trouve à l'intérieur de la statue de la Liberté à New York.

Dans l'atelier du photographe

À Paris, en 1842, un jeune homme, Eugène,
découvre un nouvel appareil capable de faire des portraits.
Il décide d'en acheter un pour essayer…

Ne bougez plus…

L'objectif
Ce mécanisme permet
de faire la mise au point
et de régler la distance.
Il est équipé d'une lentille en verre.

Eugène s'exerce avec son nouvel appareil.

Aujourd'hui, il fait beau. Hier, je n'avais pas assez de lumière.

Le mercure fait apparaître l'image.

À quoi sert ce produit ?

La semaine suivante...

J'ai appris que vous étiez photographe. Pouvez-vous faire mon portrait ?

Bien sûr, M. Maton. Suivez-moi.

Bon sang, ça pique la gorge !

C'est l'odeur des produits chimiques.

Installez-vous. Appuyez votre cou contre cette tige en fer.

On dirait un instrument de torture.

Je vais vous mettre ce col gris en carton car le vôtre est trop blanc...

... cela ferait une tache trop blanche sur la photo.

Le décor peint

Le client
Il doit rester environ
3 minutes immobile
devant l'appareil.

Ne bougez
plus...

L'appareil
photographique
On l'appelle
daguerréotype,
il a été inventé
par Daguerre.
Il est en bois et pèse
environ 50 kilos.

C'est fini ?

Ouf !
J'ai cru
mourir.

Un peu plus tard...

J'espère
que l'image
va apparaître sur
la plaque de cuivre.

Autrement, nous
serons obligés
de refaire la photo
de M. Maton.

Le lendemain...

Le portrait
est réussi.
Ce cadre
le protégera.

Aujourd'hui, nous
avons trois clients.
Nos affaires
marchent bien.

Trois jours plus tard, chez les Maton.

Regardez, c'est moi.
Je vais mettre ma photo
à côté du portrait
peint de mon père.

fin

Des images et du son

La photographie, le cinéma, la télévision
et les moyens de communication modernes
existent grâce aux inventeurs du XIXᵉ siècle.
Certains sont français. Voici les plus importants.

1 ⟩ Nicéphore Niépce et Louis Daguerre

En 1827, Nicéphore Niépce parvient à fixer une image sur une
plaque de cuivre à l'aide d'une chambre obscure et de produits
sensibles à la lumière. Il s'associe à Louis Daguerre, un peintre
décorateur, pour développer son invention. Après la mort de
Niépce, Daguerre invente le premier appareil photo de l'histoire : le daguerréotype.

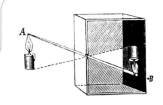

La chambre obscure
Les hommes utilisent la chambre
obscure depuis l'Antiquité : c'est
une boîte noire percée d'un petit
trou qui laisse entrer la lumière.
Lorsqu'un objet est placé devant
la boîte, les rayons de lumière
qu'il renvoie passent par le trou
et projettent son image inversée
sur la paroi opposée de la boîte.

2 ⟩ Les frères Lumière

Après la photo, des chercheurs
tentent de créer des images
animées. Les premiers à y par-
venir sont les frères Lumière.
En 1894, ils mettent au point
une caméra projecteur puis
organisent à Paris la première
séance de cinéma de l'histoire.
Leurs films, muets et en noir et
blanc, durent quelques dizaines
de secondes. Le plus célèbre

Georges Méliès
Il est l'inventeur des premiers
effets spéciaux et des premiers
décors artificiels au cinéma. Ses
films, pleins de fantaisie et de
poésie, s'inspirent des livres
de l'écrivain Jules Verne ou de
l'Anglais Herbert George Wells.
Son film le plus connu s'appelle
Le voyage dans la Lune.

s'appelle *L'arrivée d'un train en gare de La Ciotat*. Les spectateurs
ont été effrayés par l'image du train fonçant vers eux !

Les autres inventions du XIXᵉ siècle

Les chercheurs apprennent à comprendre et maîtriser deux phénomènes naturels :
l'électricité et les différentes ondes qui se propagent dans l'air.
Ils inventent plusieurs appareils qui les utilisent :

- **La pile et la dynamo électriques** : la première est inventée en 1800
  par l'Italien Alessandro Volta, la seconde, qui permet de produire
  de l'électricité en grande quantité, est mise au point en 1871.
- **Le télégraphe sans fil** : l'Italien Guglielmo Marconi fabrique
  le premier poste de radio, le télégraphe sans fil. Il permet
  de transmettre des messages à distance.
- **Le phonographe** : cet appareil est le premier à enregistrer des sons.
  Il est inventé par l'Américain Thomas Edison en 1877.
- **Le téléphone** : l'Américain Graham Bell fabrique en 1874 le premier
  appareil capable de transmettre la voix humaine à distance.

De Napoléon Ier à la République

Au XIXe siècle, deux empereurs et trois rois se succèdent à la tête de la France ! En 1875, le pays devient définitivement une république.

1 Le retour de la monarchie

Après la chute de Napoléon Ier (voir p. 119), Louis XVIII, le frère de Louis XVI, remonte sur le trône. Ses partisans pourchassent les anciens révolutionnaires. À sa mort en 1824, Charles X lui succède : il veut rétablir la monarchie absolue (voir p. 94) ! Les Français n'acceptent pas : une nouvelle révolution éclate en juillet 1830.

2 Aux armes, citoyens !

Elle ne dure que quelques jours. En effet, le 9 août, Louis-Philippe est proclamé « roi des Français ». Ce souverain respecte les idées de la Révolution, mais il est très proche de la grande bourgeoisie (voir p. 127) et pas assez des ouvriers. Une deuxième révolution éclate en 1848. À son tour, Louis-Philippe est obligé d'abdiquer.

3 Napoléon III

La IIe République est proclamée en 1848. Mais quatre ans plus tard, Napoléon III, le neveu de Napoléon Ier, prend le pouvoir par un coup d'État. C'est le second Empire. Sous son règne, le commerce et l'industrie se développent. La France s'agrandit : elle reçoit la Savoie et la ville de Nice après avoir battu l'Autriche.

La Commune
En mai 1871, les Parisiens se révoltent et forment un gouvernement révolutionnaire appelé la Commune. Leur projet est de changer la société et de soulager les plus pauvres. Mais cette révolte est brutalement réprimée : 20 000 personnes sont exécutées et 13 000 autres déportées en Algérie et en Nouvelle-Calédonie.

4 La République

Napoléon III entraîne la France dans plusieurs guerres contre la Russie, l'Autriche, l'Italie et même le Mexique, en Amérique du Nord ! En 1870, il déclare la guerre à la Prusse. L'Alsace et la Lorraine sont envahies et l'empereur est fait prisonnier à Sedan, une ville de l'est de la France. Il est obligé d'abdiquer. Le 4 septembre 1870, la IIIe République est proclamée.

La colonisation de l'Algérie et de l'Indochine

Au XIXe siècle, la France envoie son armée mais aussi des colons occuper des pays étrangers pour en exploiter les ressources : c'est la colonisation. À partir de 1830, les Français s'installent en Algérie puis au Maroc, en Tunisie et dans les pays d'Afrique noire (Sénégal, Congo, Guinée, Côte d'Ivoire...). La France envoie également des colons en Asie, en Indochine (Vietnam et Cambodge actuels).

Marie Curie, une vie au service de la science

En 1891, une jeune Polonaise arrive à Paris pour étudier les sciences physiques. Avec son futur mari, Pierre Curie, elle va faire des découvertes qui vont bouleverser le monde…

Quelques jours plus tard.

Les Parisiennes ont l'air très coquettes !

Quel bonheur d'être à Paris ! Je me sens bien dans le pays des libertés.

À l'université de la Sorbonne.

Vous êtes là pour étudier les sciences. Vous allez beaucoup travailler.

Il n'y a presque que des garçons !

Suivre les cours de physique en français, ce n'est pas trop difficile pour vous ?

Si, un peu. Mais, je prends des cours pour me perfectionner dans votre langue.

Quelques mois plus tard.

Cette chambre est misérable. Mais je suis plus tranquille pour travailler que chez Bronia.

Je suis sûre que tu as encore oublié de manger. Je t'apporte de la soupe.

Merci Bronia ! Je n'ai rien mangé depuis hier.

Mai 1893, les examens approchent...

Vous avez de grandes capacités, Maria. J'espère que vous allez réussir vos examens.

Professeur, venez voir. J'ai dû faire une erreur.

Pierre et Marie travaillent nuit et jour.

Tu crois que nos travaux sont dangereux pour notre santé ?

Non, je ne pense pas.

En tout cas, mes yeux me brûlent plus qu'avant.

Après trois longues années...

Je me sens épuisée. Il a fallu 7 tonnes de pechblende pour obtenir seulement 1 gramme de radium pur !

À l'Académie des sciences de Paris.

Nous voulons proposer Henri Becquerel et Pierre Curie pour le prix Nobel de physique...

Pierre Curie demande que sa femme soit aussi récompensée...

Pff ! Une femme prix Nobel, c'est impensable !

En décembre 1903, Marie partage le prix Nobel avec Pierre Curie et Henri Becquerel. Ils reçoivent des journalistes.

Êtes-vous fiers de ce prix Nobel ?

Oui, il récompense notre travail sur la radioactivité.

Mais il faut continuer de chercher et de découvrir.

Trois ans plus tard, Pierre et Marie se promènent avec leurs filles, Irène et Ève...

Allons chercher du lait à la ferme.

Oh oui !

Oui et, après, nous irons pique-niquer !

Maman, je suis contente qu'on passe enfin du temps ensemble.

Tu aimes beaucoup ton travail, maman ?

Oui, la recherche occupe une grande place dans ma vie. Parfois, c'est difficile pour une maman.

Avril 1906, à Paris...

... Pierre est tué sur le coup.

Marie donne des cours à l'université, à la place de son mari.

C'est la première fois qu'une femme est responsable de cours à la Sorbonne !

Un jour, les femmes seront aussi savantes que les hommes...

La physique a fait de grands progrès, surtout dans le domaine de la radioactivité...

Elle accueille aussi des étudiants étrangers dans son laboratoire, à l'Institut du radium.

Bienvenue à tous !

Good Morning !

Dzien'dobry !

Guten Tag !

Vous n'allez pas gagner beaucoup d'argent. Mais vous allez chercher, trouver et faire progresser la science.

FIN

Marie Curie, une femme surdouée et courageuse

1) Une enfance en Pologne

De son vrai nom Maria Sklodowska, Marie naît en 1867 en Pologne, un pays alors soumis aux Russes. Sa mère est institutrice, et son père, professeur de mathématiques et de physique. Après la mort de sa mère, Marie passe son temps à étudier. L'université n'étant pas ouverte aux femmes, elle suit des cours clandestins organisés par des scientifiques polonais.

2) Les études à Paris

En 1891, Marie rejoint sa sœur en France. Elle s'inscrit à l'université de la Sorbonne pour étudier les sciences. Deux ans plus tard, elle est reçue première à la licence de physique et seconde à la licence de mathématiques.

3) La découverte de la radioactivité

Des rayons inconnus, les rayons X, ont été produits et observés pour la première fois par un Allemand, Wilhelm Röntgen. À sa suite, le physicien français Henri Becquerel étudie l'urane, un métal rare. Il se rend compte que l'un de ses composés, l'uranium, émet naturellement des rayons : il vient de découvrir la radioactivité. Marie choisit de se consacrer à l'étude de ces rayonnements.

4) Les recherches de Pierre et Marie

Marie comprend que l'uranium n'est pas le seul élément naturel à émettre des rayons. Avec son mari Pierre Curie, ils découvrent deux autres éléments, beaucoup plus radioactifs : le polonium et le radium. Aujourd'hui, la radioactivité du radium est utilisée pour lutter contre les maladies graves, comme le cancer. La radioactivité sert aussi à produire de l'électricité ou à dater les anciens objets retrouvés par les archéologues.

La bombe atomique
Malheureusement, la radioactivité sert aussi à fabriquer des bombes atomiques. En 1945, les militaires américains larguent deux bombes atomiques sur le Japon, à Hiroshima et Nagasaki. En explosant, elles ont tué plus de 200 000 personnes, sur le coup et dans les années qui ont suivi, à cause des radiations.

Deux prix Nobel

Le prix Nobel a été créé en 1901 pour récompenser celles et ceux qui font progresser l'humanité. Marie Curie en a reçu deux, en 1903 et 1911 : le premier, le prix Nobel de physique, couronne ses recherches sur la radioactivité. Elle le partage avec son mari et le physicien Henri Becquerel. Le second, le prix Nobel de chimie, récompense ses travaux sur le radium et le polonium.

La Belle Époque

Marie Curie a connu Paris à la Belle Époque. C'est ainsi qu'on a appelé les années allant de 1900 à 1914, date du début de la Première Guerre mondiale. Cette période est optimiste : les hommes croient aux progrès de la science.

1 ﹜ Une exposition à la gloire de la science

Depuis 1851, l'Angleterre et la France organisent des manifestations internationales : les expositions universelles. On y découvre les nouveautés scientifiques et techniques de l'époque. Celle de 1900, à Paris, est la plus importante : plus de 50 millions de visiteurs y ont découvert le premier petit train électrique, le cinéma, les automates à ressort, les rayons X...

3 ﹜ Des avions dans le ciel

Les premiers appareils volants sont des planeurs, fabriqués avec des ailes en toile. En 1903, deux frères américains, Wilbur et Orville Wright, construisent un planeur plus perfectionné équipé d'un moteur et de deux hélices. L'appareil parvient à parcourir 38 km en une quarantaine de minutes. Plus tard, en 1909, Louis Blériot construit un appareil capable de voler à 55 km/h avec lequel il traverse la Manche.

2 ﹜ Des voitures dans les rues

À la fin du XIXᵉ siècle, la voiture existe déjà sous différentes formes. Elle roule d'abord grâce à des moteurs à vapeur puis à gaz. En 1860, un moteur particulier est inventé : le moteur à explosion, toujours utilisé aujourd'hui. La découverte du pétrole permet de fabriquer un nouveau carburant : l'essence.

Louis Renault
Louis Renault est le premier constructeur d'automobiles français. Son premier véhicule est une voiturette à deux places. Il en produit six exemplaires en 1898. En 1913, son usine fabrique déjà 4 200 voitures par an !

Clément Ader
En 1890, cet ingénieur français construit un engin en forme de chauve-souris. Ses ailes articulées sont recouvertes d'une toile de soie et il est équipé d'un moteur à vapeur. Clément Ader parvient à faire un bond de 50 mètres, à quelques dizaines de centimètres du sol. C'est lui qui invente le mot « avion ».

4 ﹜ Une médecine qui progresse

En 1865, le chimiste français Louis Pasteur étudie les maladies contagieuses et leurs causes. Ses recherches l'amènent à découvrir l'existence des microbes et leur rôle dans la transmission des maladies. Il met au point plusieurs vaccins, contre la rage et différentes maladies animales. Il invente la pasteurisation (stérilisation) : une méthode pour tuer les mauvais germes contenus dans les produits alimentaires.

Le métro à Paris
La première ligne de métro est inaugurée à Paris en 1900. Les travaux ont été menés par l'ingénieur Fulgence Bienvenüe. Dès son ouverture, les Parisiens se précipitent : 30 000 tickets sont vendus le premier jour !

Allez, les filles !

Voter, aller à l'école, choisir son mari…
Aujourd'hui, ces droits acquis semblent évidents.
En réalité, il n'en a pas toujours été ainsi !
Voici les histoires d'Hélène et Yvette…

Je veux choisir mon mari !
Hélène, 18 ans en 1900

1900. Hélène écrit à son amie Rose.

Ma chère Rose,
Demain, c'est le grand jour :
j'ai 18 ans et mes parents
organisent une réception...

Le lendemain.

Ma chérie,
vous êtes superbe
dans cette nouvelle
robe...

Merci, mère !
J'ai hâte
de rencontrer
nos invités...

Hélène, je vous
présente M. et
Mme Bonneval
et leur fils Gaston.

Voulez-vous jouer
du piano
à ce jeune homme ?
M. Bonneval
et moi devons parler
affaires.

Votre fille
est très douée.

Elle apprend
la musique, le dessin
et la couture dans
une pension
religieuse...

Savez-vous,
mademoiselle,
que les porcelaines
Bonneval
se vendent dans
le monde entier ?

Hélène fera
une excellente
maîtresse
de maison.

Quelque temps plus tard.

Ma chère Hélène, Gaston Bonneval a demandé votre main. Ce sera un beau mariage.

Mais... père, je ne l'aime pas. Il est ennuyeux... et laid !

Je suis le chef de famille, c'est moi qui décide !

Mère, s'il vous plaît, dites quelque chose...

Chère Rose, Mon père veut me marier à un homme que je n'ai vu qu'une fois. Je compte sur ma mère pour le faire changer d'avis.

L'été suivant, Hélène est en vacances chez Rose.

Heureusement que ton père a changé d'avis...

POUET

Oui, je l'ai échappé belle !

Bonjour mesdemoiselles ! Je cherche la route de Montauban.

C'est par là !

Je rêve de conduire une automobile !

Montez, je vais vous apprendre.

Fin

Je veux voter quand je serai grande !
Yvette, 10 ans en 1920

1920. Ce dimanche-là, le père d'Yvette et Yvan va voter.

Tu promènes tes jumeaux ?

Des gens se sont fait tuer pour qu'on ait le droit de voter. Je veux que les enfants comprennent que c'est important.

A voté !

À midi.

Pour qui tu as voté, papa ?

J'ai voté pour Beynié. Ce sera un bon maire.

Et toi, maman, tu ne votes pas ?

Non, Yvette, les femmes n'ont pas le droit de voter. C'est aux hommes de prendre les décisions importantes.

Tu sais, ma petite Yvette, en Angleterre, en Allemagne, les femmes ont le droit de voter.

Alors, moi aussi, je voterai un jour...

Oui, j'en suis sûr !

1930. Yvette est devenue une suffragette : elle manifeste pour que les femmes aient le droit de vote.

Rentrez chez vous ! La place d'une femme est à la maison.

Avril 1945. Après la Seconde Guerre mondiale, les Françaises obtiennent enfin le droit de vote.

C'est un grand jour dans ma vie !

Tu sais Yvan, si papa était vivant, il serait fier de moi.

Il serait encore plus fier si tu es élue un jour...

Tu as raison ! Je vais me présenter aux prochaines élections municipales.

Fin

La bataille pour l'égalité des droits homme-femme

1 ⟩ De drôles d'idées...

Pendant des siècles, les femmes ont été considérées comme plus fragiles et moins intelligentes que les hommes. Elles ne recevaient pas ou peu d'instruction et vivaient sous l'autorité de leur père ou de leur mari. Elles ne pouvaient exercer le métier de leur choix. Leur rôle dans la société était le plus souvent limité à l'éducation des enfants, au travail dans les champs et aux tâches ménagères.

Privées de sport !
Autrefois, les femmes ne pratiquaient pas ou peu de sport car il était jugé indécent qu'elles montrent leur corps. Tout commence à changer avec l'ouverture des Jeux olympiques aux femmes, en 1900, à Paris. Et en 1909, une loi autorise le port du pantalon.

2 ⟩ Les premières féministes

À la fin du XIXᵉ siècle, des femmes commencent à se battre pour leurs droits : ce sont les féministes, appelées aussi « suffragettes ». Elles réclament le droit de vote et l'égalité avec les hommes. Le mouvement des suffragettes est né en Angleterre et s'inspire des idées de la Révolution française.

3 ⟩ À la place des hommes

Pendant la Première Guerre mondiale (voir p. 154), les femmes remplacent les hommes partis se battre. À la campagne, elles cultivent les terres. À la ville, elles travaillent dans les usines ou conduisent les tramways et les autobus. Cette situation change leur place dans la société.

4 ⟩ Des femmes enfin libres

Aujourd'hui, les femmes françaises sont des citoyennes à l'égal des hommes. Elles peuvent exercer des métiers qui leur étaient autrefois inaccessibles comme, par exemple, pilote d'avion ou pompier. Grâce à la contraception, elles peuvent choisir de ne pas faire d'enfants mais aussi décider du moment où elles en veulent.

Il reste des progrès à faire !
Les femmes sont toujours moins payées que les hommes pour un travail identique. Elles sont aussi beaucoup moins nombreuses dans la vie politique : l'Assemblée nationale élue en 2012 ne compte que 155 femmes pour 577 députés.

1924	1965	1967	2000
Les filles peuvent passer le baccalauréat comme les garçons.	Les femmes mariées ont le droit de travailler sans l'autorisation de leur mari.	La contraception est autorisée.	Les partis doivent présenter autant d'hommes que de femmes sur les listes électorales.

Repères

1914-1918 : la guerre dans les airs

Dès le début de la Première Guerre mondiale, les poilus
qui se battent dans les tranchées voient passer au-dessus d'eux
les premiers avions de chasse de l'histoire.
Ils sont pilotés par des hommes d'exception : les as du ciel…

23 septembre 1916. Le chef a réuni ses pilotes sur le terrain d'aviation de l'escadrille des Cigognes.

Le commandant de la VIᵉ armée vous félicite pour votre courage pendant les combats.

Mais beaucoup d'entre nous sont morts.

Un peu plus tard...

Mon réservoir est crevé !

Je peux t'aider car mon taxi* est en panne.

Au bar de l'escadrille.

Les pilotes allemands sont redoutables.

Au combat, je cherche à les foudroyer tout de suite...

En fin de matinée...

La météo est bonne. Je vais survoler les tranchées.

D'accord Guynemer.

Cap au nord vers la zone des combats.

Le mécano de Guynemer vérifie le chargement de la mitrailleuse.

J'espère qu'elle ne va pas s'enrayer...

TEUF !! TA TEUF ! TEUF !!

* Surnom des avions

149

Face au vent, l'avion amorce son décollage.

Espérons qu'il reviendra sain et sauf !

À 2 000 mètres d'altitude, l'air est glacial dans le cockpit.

Mes lunettes sont couvertes de buée...

Au-dessus du front* de la Somme...

Les tranchées ressemblent à l'enfer !

Ces pilotes sont des as !

Soudain, Guynemer aperçoit un pilote français pourchassé par cinq avions allemands.

Cinq contre un. Il a besoin d'aide !

Moteur pleins gaz, il fonce vers l'un d'eux.

Je vais ruser !

Il se place dos au soleil pour l'attaquer.

Il va être aveuglé par le soleil...

L'avion de Guynemer, le SPAD VII, attaque le Fokker D1 allemand. Il fonce dessus à 170 km/heure, le crible de balles et l'évite au dernier moment. Le Fokker est touché.

Puis Guynemer abat un second Fokker...

RATATA

Les débuts de l'aviation militaire

En 1914, au début de la Première Guerre mondiale, l'avion est un engin tout nouveau. Les armées française et allemande comprennent vite qu'il peut être très utile dans les combats.

1 ⟩ Des missions d'observation...

En août 1914, l'armée française compte 132 avions, contre 252 du côté allemand. Ce sont des appareils à hélices, avec des ailes en toile et en bois. L'armée les utilise pour photographier la position des troupes et des canons ennemis et préparer les attaques.

2 ⟩ ... et de combat

Au début de la guerre, les avions ne sont pas armés. Les pilotes se battent en lançant des grenades et des fléchettes d'acier sur l'ennemi. Certains tirent au pistolet ou au fusil de chasse. Puis les mitrailleuses, fixées sur l'avant de l'avion, apparaissent, ainsi que les lanceurs de bombes.

3 ⟩ À l'école de pilotage

Les meilleurs soldats sont formés à l'école de pilotage. Ils apprennent à utiliser la télégraphie sans fil. Ce moyen de communication est tout nouveau. Il permet au pilote de communiquer depuis son avion avec son commandement.

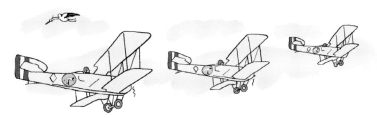

4 ⟩ Des vols en escadrille

Les pilotes sont envoyés près des zones de combat. Ils rejoignent des groupes : les escadrilles. Chaque escadrille porte une lettre et un numéro. Certaines sont célèbres pour leurs signes de reconnaissance dessinés sur les avions : la cigogne, l'aigle ou le coq.

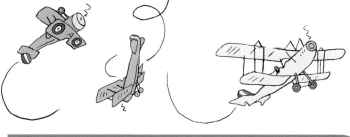

5 ⟩ Vers une nouvelle armée

À la fin de la guerre, les avions ont beaucoup progressé. En 1914, ils volaient de deux à quatre heures d'affilée à 95 km/h à une altitude de 1 500 m. En 1918, ils peuvent aller jusqu'à 225 km/h et atteindre 7 000 m d'altitude. Ils sont devenus des armes indispensables : en 1933, la France crée d'ailleurs une nouvelle armée, l'armée de l'air.

Les as du ciel

Les pilotes français et allemands deviennent des héros. Les as français s'appellent René Fonck, Charles Nungesser ou Georges Guynemer (ci-contre). À l'époque, aucun pilote n'est encore équipé de parachute. La majorité meurt au combat. Georges Guynemer est tué à 23 ans, en 1917.

La Première Guerre mondiale

De 1914 à 1918, l'Europe est ravagée par une guerre meurtrière.
Les Français, alliés à la Russie et au Royaume-Uni, se battent
contre l'Allemagne et l'Autriche-Hongrie.

1 } Une Europe divisée

D'anciennes rivalités opposent les Européens. Par exemple,
les Français veulent récupérer l'Alsace-Lorraine annexée par
l'Allemagne en 1870. Les Allemands et les Autrichiens, eux, se
sentent menacés par les Russes... Quand la guerre éclate, l'Europe
se divise en deux camps : d'un côté, la France, la Russie et le
Royaume-Uni appelés aussi « les Alliés ». De l'autre, l'Allemagne,
l'Italie et l'Autriche-Hongrie.

L'Europe des alliances en 1914

- Triplice (Allemagne, Autriche-Hongrie, Italie)
- Triple-Entente (Royaume-Uni, France, Russie)
- États proches de la Triple-Entente (Serbie, Monténégro)

L'attentat de Sarajevo

Le 28 juin 1914, l'archiduc
d'Autriche François-Ferdinand
et sa femme sont assassinés
à Sarajevo, la capitale de la
Bosnie-Herzégovine. L'Autriche
accuse la Serbie d'avoir organisé
l'attentat. La Russie prend
la défense de la Serbie...
À cause des alliances militaires,
toute l'Europe est entraînée
dans la guerre.

2 } La mobilisation

Le 1ᵉʳ août 1914, la France
mobilise ses soldats. En trois
semaines, 1 700 000 hommes
âgés de 20 à 48 ans rejoignent
l'armée. On croit que la guerre
ne va pas durer longtemps.
Mais les Français se trompent :
leur stratégie militaire et leurs
armes sont dépassées. Ils attaquent à la baïonnette et au
sabre alors que les Allemands
utilisent déjà des canons et
des mitrailleuses !

3 } 700 kilomètres de tranchées

Les mois passent. Aucun adversaire n'arrive à s'imposer. En
1915, la ligne de front s'immo-
bilise : elle s'étend sur 700 km,
du Nord à la frontière suisse.

Le char d'assaut

En 1916, les Britanniques
utilisent de nouveaux engins
pour s'attaquer aux tranchées.
Ce sont de gros véhicules blindés
équipés de chenilles, capables de
rouler à 6,5 km/h et de franchir
des obstacles de 1,5 mètre de
haut : des chars d'assaut.

Les soldats creusent des fossés protégés par des fils de fer
barbelés pour résister : les tranchées. Les conditions de vie y
sont inhumaines en raison du froid, des rats, des poux... Les
combats sont meurtriers à cause des nouvelles armes : mines,
mortiers (sortes de canon), gaz asphyxiants, lance-flammes...

4) La bataille de Verdun

La ville de Verdun est approvisionnée par une seule voie ferrée. En février 1916, les Allemands l'attaquent : ils veulent percer la ligne de front à cet endroit qui leur paraît vulnérable. Pendant des mois, ils larguent des millions d'obus. Les Français se battent avec un courage incroyable et parviennent à repousser l'ennemi. La bataille de Verdun, terminée en décembre 1916, est la plus terrible offensive de la guerre : 163 000 Français et 143 000 Allemands y perdent la vie.

Les grandes batailles sur le front

FLANDRES (1917)
Bruxelles
Lille
Arras • Cambrai
LA SOMME (1916)
CHEMIN DES DAMES (1916) CHAMPAGNE (1915)
Reims VERDUN (1916)
Paris LA MARNE (1914)
Nancy

→ Offensives allemandes (août-septembre 1914)
→ Contre-offensives françaises (septembre-décembre 1914)
— Limite extrême de l'avance allemande
— Front début 1915

Ces batailles ont été très coûteuses en vies humaines : la bataille de la Somme, le Chemin des Dames, Verdun…

5) La révolte des soldats

En 1917, les poilus sont épuisés. Ils en ont assez d'être tués dans des batailles qui ne font pas reculer l'ennemi. Des révoltes éclatent dans l'armée : des soldats désertent. Plus de 3 400 d'entre eux sont jugés coupables, 554 sont condamnés à mort, une trentaine sont fusillés.

6) Les Américains entrent en guerre

La guerre se déroule aussi sur les mers : les sous-marins allemands attaquent les navires de commerce américains et provoquent la mort de plusieurs dizaines de passagers civils. Aux États-Unis, ces attaques provoquent la colère. En 1917, le président américain, Woodrow Wilson, déclare la guerre à l'Allemagne. Le conflit devient mondial.

La révolution russe
En 1917, les Français et les Anglais perdent un allié de poids : la Russie. Une révolution éclate dans ce pays. Le tsar est renversé. Le nouveau gouvernement négocie la paix avec l'Allemagne.

7) La fin de la guerre

Le 8 août 1918, près de Soissons, les Français enfoncent les lignes allemandes. L'ennemi est obligé de reculer. En quelques mois, les Alliés remportent la victoire. Le cessez-le-feu est signé le 11 novembre 1918. L'Allemagne doit évacuer la Belgique, l'Alsace-Lorraine, la rive gauche du Rhin (la Rhénanie). Elle perd sa flotte et doit payer de lourdes indemnités aux vainqueurs.

Des soldats venus de loin

Au début du XXe siècle, la France est à la tête d'un empire colonial dont les possessions se trouvent en Afrique et en Asie. Près de 600 000 soldats venus de ces pays sont recrutés, quelquefois de force. Beaucoup sont mal préparés au combat. À la fin de la guerre, 70 000 d'entre eux ont perdu la vie.

Bienvenue à bord du *Normandie* !

En 1935, la famille Palmer embarque sur le *Normandie*, le plus grand bateau du monde. Dans quatre jours, elle sera à New York, aux États-Unis. À l'époque, c'est un record de vitesse !

1931. À Saint-Nazaire, un paquebot est en construction. Des ouvriers assemblent une à une les tôles de la coque.

Passe-moi des boulons !

300 mètres de long, c'est le plus grand navire du monde !

Le 29 octobre 1932, plus de 100 000 personnes attendent la mise à l'eau.

C'est un grand jour pour la France !

Nous sommes venus de Nantes à bicyclette pour assister à cet évènement.

C'est le baptême du Normandie !

POFF !

Aussitôt, le navire quitte la cale.

KRRRiiiiiii BOUM
CLONG BLONG

Au moment où le Normandie touche la mer, une énorme vague arrose des spectateurs.

AAH !

?

Je suis trempé !

Plus tard, il faut fixer l'une des hélices.

Vérifions l'hélice, sinon elle va vibrer avec la vitesse.

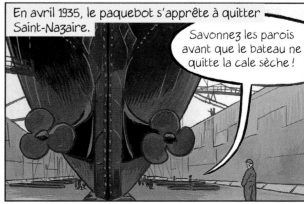

En avril 1935, le paquebot s'apprête à quitter Saint-Nazaire.

Savonnez les parois avant que le bateau ne quitte la cale sèche !

Juillet 1935. Au Havre, des passagers embarquent pour New York.

Ma famille a émigré aux États-Unis...

Nous voyageons en première classe.

Dans le grand hall, la famille Palmer est accueillie par le commissaire de bord.

Bienvenue pour votre première traversée de l'Atlantique.

Puis un groom les conduit vers leur cabine...

N'hésitez pas à me sonner si vous avez besoin d'un service.

Quel luxe ! On croirait un hôtel !

Il y a même une terrasse !

Le *Normandie* quitte le quai dans un concert de sirènes.

POOOOOOOOOOOOO

POOOOOOOO

Où est Alice ?

Au revoir !

Dans un couloir, Alice, perdue, cherche sa cabine...

Je voulais juste récupérer mon écharpe.

... et pousse une porte qui débouche dans les cuisines.

Je vais vous raccompagner auprès de vos parents.

Le lendemain, un steward sert le petit-déjeuner.

C'est quoi, ces drôles de crêpes ?

Des pancakes, les Américains adorent ça.

Soudain, M. Palmer interrompt la lecture du journal imprimé à bord.

Alice, on parle de ton escapade !

L'ATLANTIQUE

Plus tard, sur le pont, un officier fait un exercice de sécurité.

Rassurez-vous, il y a suffisamment de canots de sauvetage à bord !

Let's hope we don't finish up like the passengers on the *Titanic* !*

*J'espère que nous ne finirons pas comme les passagers du *Titanic* !

Nils Palmer essaie un gilet de sauvetage.

Avec ça, tu peux flotter !

L'après-midi, Mme Palmer se fait coiffer.

Son mari est à la piscine...

... et les enfants sur un manège.

J'adore les chevaux de bois !

Le soir, pendant que les enfants mangent dans la salle qui leur est réservée, leurs parents dînent dans la luxueuse salle à manger du *Normandie*.

Madame, encore un peu de poularde aux morilles ?

Demain, il y aura un défilé de mode.

Dans trois jours, nous serons à New York, un record !

L'entre-deux-guerres

Pendant cette période (1918-1939), la France se modernise. L'industrie, l'agriculture, les transports et le tourisme se développent. Jusqu'à ce qu'en 1929, une grave crise économique plonge les États-Unis et l'Europe dans la misère...

1 } Des voitures et des avions

À Paris, les voitures remplacent les hippomobiles (voitures tirées par les chevaux). Le nombre de voitures construites en France triple en quelques années : de 55 000 en 1921, on passe à 145 000 en 1924 ! Le transport de marchandises et de passagers par avion se développe. En 1922, 4 700 avions décollent du Bourget, un aéroport de la région parisienne.

L'Aéropostale

En 1918, Pierre Latécoère lance la première ligne aérienne de transport du courrier : l'Aéropostale. Les avions partent de Toulouse et vont au Maroc et en Algérie. En 1927, une nouvelle ligne est ouverte vers l'Argentine, en Amérique du Sud. Les pilotes les plus célèbres de l'Aéropostale sont Jean Mermoz et Antoine de Saint-Exupéry, l'auteur du *Petit Prince*.

2 } Des nouveautés venues d'Amérique

En 1920, les Français, surtout les Parisiens, veulent oublier les horreurs de la guerre : ils ne pensent qu'à s'amuser ! Ils adorent la musique, la danse et les spectacles apportés par les soldats américains : le jazz, le charleston et le music-hall (mélange de danses, de claquettes et de chansons). La musique et l'art africains deviennent à la mode. Cette période est appelée les Années folles.

3 } Changement de look !

Les femmes travaillent de plus en plus. Elles ont besoin de tenues plus pratiques. Les jupes se raccourcissent en dessous du genou. Certaines portent des pantalons créés par la couturière Coco Chanel et se font couper les cheveux courts, « à la garçonne ». Les plus audacieuses pratiquent du sport ou conduisent des voitures.

4 } Une grave crise économique

Le 24 octobre 1929, la bourse de New York s'effondre : plusieurs millions d'actions mises en vente ne trouvent pas d'acheteurs. Au fil des mois, leur valeur diminue. Des centaines de milliers d'épargnants, propriétaires de ces actions, sont ruinés. Des banques et des entreprises font faillite. Les ouvriers se retrouvent au chômage, les paysans sont expulsés de leurs terres : c'est le début de la plus grave crise économique de l'histoire.

5 〉 L'Europe touchée à son tour

À cause de la crise, les États-Unis ne peuvent plus prêter d'argent aux pays européens endettés par la Première Guerre mondiale. L'Angleterre, la France, l'Allemagne plongent également dans la crise. En 1932-1933, il y 6 millions de chômeurs en Allemagne et 1,5 million en France !

6 〉 Des citoyens en colère

Alors que la crise appauvrit la plupart des Français, l'affaire « Stavisky » éclate en 1934. Stavisky est un escroc qui, avec la complicité d'hommes politiques, a détourné de très grosses sommes d'argent. Aussitôt, des partis d'extrême droite manifestent contre le gouvernement. En Allemagne, Adolf Hitler, le chef du parti nazi, prend le pouvoir en 1933 en promettant de redonner du travail aux Allemands désespérés par la pauvreté et le chômage (voir p. 166 et p. 173).

7 〉 Des vacances pour les ouvriers

En mai 1936, les Français élisent des socialistes, des communistes et des radicaux, réunis en une même alliance : le Front populaire. Ces trois partis de gauche font passer des lois qui améliorent la vie des ouvriers : l'augmentation des salaires, les congés payés (15 jours de vacances payés par l'employeur) et la réduction du temps de travail à 40 heures par semaine.

Premières vacances à la mer !
Les congés payés permettent à beaucoup d'ouvriers de partir pour la première fois en vacances à la mer, un privilège jusque-là réservé aux plus riches.

Paris, capitale mondiale des arts

Jusqu'au début de la Seconde Guerre mondiale, Paris attire des artistes venus du monde entier : l'Espagnol Pablo Picasso, le Russe Marc Chagall, l'Italien Amedeo Modigliani, le Japonais Foujita... Ils vivaient dans le quartier de Montparnasse. De nouveaux mouvements artistiques apparaissent, comme le surréalisme. La photo ci-dessus montre Modigliani, Picasso et André Salmon, écrivain.

Des paquebots entre l'Europe et les États-Unis

Dès la fin du XIXᵉ siècle, des paquebots traversent l'Atlantique avec à leur bord des passagers : ce sont les transatlantiques. Deux pays se partagent cette activité : l'Angleterre, avec les compagnies maritimes la Cunard et la White Star, et la France, avec la Compagnie générale transatlantique. Le *Normandie* reliait Le Havre à New York en passant par Southampton (Angleterre) en 4 jours et 3 heures.

L'incroyable destin de Charles de Gaulle

Dès l'adolescence, Charles de Gaulle se rêve en sauveur de la France. Trente-cinq ans plus tard, la Seconde Guerre mondiale éclate en Europe et lui donne l'occasion de s'affirmer comme un grand chef résistant.

À 15 ans. Le jeune Charles écrivait des histoires où il s'imaginait en héros militaire...

Un jour je serai général et je sauverai la France !

En 1930, trois armées allemandes franchirent les Vosges. En France, le général de Gaulle fut mis à la tête de 200 000 hommes et de 518 canons.

En 1905, Charles rêvait déjà d'un grand destin. Il devra patienter encore un peu...

Mai 1940, dans l'est de la France. Les Français fuient devant l'avancée de l'armée allemande.

Planquez-vous ! Les Stukas attaquent !

Quelques officiers français résistent. Parmi eux, le colonel de Gaulle dirige la 4ᵉ division cuirassée.

Attaquons l'ennemi sur son flanc.

MONTCORNET

Le lendemain, il croise des prisonniers allemands.

Les Français sont foutus !

En effet, en juin, les Allemands sont à Paris. Le 17, le maréchal Pétain s'adresse aux Français.

C'est le cœur serré que je vous dis qu'il faut cesser le combat... Je me suis adressé cette nuit à l'adversaire... pour lui demander de mettre un terme aux hostilités...

De Gaulle, devenu général, a déjà pris sa décision.

Je pars pour Londres. La France doit poursuivre le combat avec l'aide des Anglais.

Mon général, je viens avec vous.

Quand reverrai-je la terre de France ?

Le 18 juin, à Londres

Monsieur le Premier Ministre, j'ai besoin de m'adresser aux Français...

*BBC : la radio nationale anglaise

Yes ! Les micros de la BBC* vous sont ouverts.

Le soir même

Moi, général de Gaulle, actuellement à Londres, j'invite les officiers et les soldats français... à se mettre en rapport avec moi.

... Quoi qu'il arrive, la flamme de la Résistance ne doit pas s'éteindre et ne s'éteindra pas !

Dès le lendemain, quelques hommes rejoignent de Gaulle.

J'ai entendu votre appel. Je suis journaliste et...

je suis juif.

Il y a deux sortes d'hommes : ceux qui se couchent et ceux qui se battent.

Vous appartenez à la seconde. Alors soyez le bienvenu !

Tous les pêcheurs de l'île de Sein, en Bretagne, gagnent Londres. Ils laissent derrière eux leurs femmes et leurs enfants.

Nous sommes 133 venus de l'île de Sein, mon général !

L'île de Sein, c'est donc le quart de la France** !

** En juin 1940, environ 600 Français ont rejoint de Gaulle à Londres. Les marins de l'île de Sein représentent en gros le quart de ces hommes.

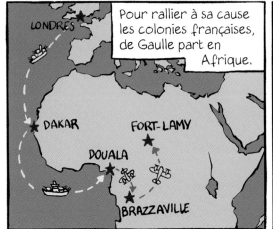

LONDRES

DAKAR

FORT-LAMY

DOUALA

BRAZZAVILLE

Pour rallier à sa cause les colonies françaises, de Gaulle part en Afrique.

Après un échec à Dakar, il est accueilli triomphalement à Douala, à Brazzaville...

J'appelle au combat les hommes et les femmes des terres françaises...

Je vous le prédis, l'empire, la France seront sauvés !

Octobre 1941, à Londres

Voici Jean Moulin.

Mon général, j'arrive de France. Les résistants y sont nombreux mais ils sont dispersés.

Moulin, vous serez mon représentant en France.

Je vous charge de l'union des mouvements de résistance.

Il faut me parachuter en zone libre, en Provence.

En 1943, Moulin crée le Conseil national de la Résistance.

Beaucoup de jeunes rejoignent la Résistance. Ils guettent les messages codés de la BBC.

Marguerite n'a pas froid aux yeux !

C'est le signal ! Demain, on attaque !

Partout en France, les attentats se multiplient contre l'occupant.

TACATAC! TACATAC!

TAKATAK! KATA! KATAK!

En juin 1944, Anglais et Américains débarquent sur les côtes de Normandie. Le 26 août 1944, dans Paris libéré, de Gaulle descend les Champs-Élysées. Il est acclamé en libérateur.

Vive de Gaulle !

Hourra !

Vive la France !

FiN

Les débuts
de la Seconde Guerre mondiale

En Europe, la crise économique mondiale favorise les partis politiques extrémistes. En Allemagne, Adolf Hitler, chef des nazis, arrive au pouvoir en 1933. Sa volonté de conquérir d'autres pays européens déclenche la Seconde Guerre mondiale.

Le nazisme
Le nazisme est un programme politique développé par Hitler dans *Mein Kampf*, un livre qu'il a rédigé en 1923. Les nazis sont racistes : selon eux, les Allemands appartiennent à une race supérieure et ils ont le droit de détruire les autres races jugées inférieures, à commencer par les juifs. L'emblème des nazis est la croix gammée.

1 ⟩ Hitler, une menace pour la paix

Sitôt au pouvoir, Hitler développe l'industrie en construisant des autoroutes et des armes. Beaucoup d'Allemands l'approuvent car cette politique leur donne du travail. Mais Hitler impose bientôt une dictature car il veut créer un empire. Il annexe l'Autriche et la Tchécoslovaquie. Le 1ᵉʳ septembre 1939, il attaque la Pologne.

2 ⟩ La « drôle de guerre »

La France et l'Angleterre ne peuvent accepter l'attaque de la Pologne, un pays allié. Le 3 septembre 1939, elles déclarent la guerre à Hitler. Mais, pendant des mois, il n'y a aucun combat à la frontière française : c'est la « drôle de guerre ».

3 ⟩ Une défaite terrible

En mai 1940, les Allemands attaquent brutalement la Belgique, les Pays-Bas et la France : c'est la « guerre éclair ». Les Français et leurs alliés ne peuvent résister aux puissants chars blindés et aux bombardements aériens. Près de 1,8 million de Français sont faits prisonniers, 600 000 sont tués au combat. Cinq semaines plus tard, les Allemands entrent victorieux dans Paris. Le gouvernement français se réfugie à Bordeaux.

4 ⟩ La fin des combats

Le maréchal Pétain devient chef du gouvernement en juin 1940, à l'âge de 84 ans. Ce chef militaire, récompensé pour son courage pendant la Première Guerre mondiale, est très aimé des Français. Il signe un armistice avec Hitler le 22 juin 1940. Cet accord fait cesser les combats.

Charles de Gaulle, chef de la France libre

Alors que le maréchal Pétain signe l'armistice, le général de Gaulle refuse la défaite. Il se réfugie à Londres, en Grande-Bretagne, pour organiser la Résistance.

1 } La lutte continue !

Le 18 juin 1940, Charles de Gaulle lance un appel à la résistance depuis la BBC, la radio anglaise. Il demande aux Français de ne pas perdre espoir et encourage les soldats et les officiers à le rejoindre à Londres. Winston Churchill, le Premier Ministre anglais, le reconnaît comme le chef des Français libres.

2 } Naissance d'une nouvelle armée...

Les gouverneurs de colonies françaises, en Afrique et dans l'océan Pacifique, répondent à l'appel de De Gaulle ainsi que les généraux Koenig et Leclerc. C'est grâce à eux que le général peut créer une nouvelle armée de combattants volontaires : les Forces françaises libres (FFL). En 1943, les FFL comptent 70 000 hommes.

La croix de Lorraine
À l'origine, cette croix symbolisait un reliquaire (coffre contenant un morceau de la croix de Jésus) vénéré par les ducs de Lorraine. Elle est adoptée par la France libre en 1940 pour symboliser la Résistance et lutter contre la croix gammée.

3 } ... et de la Résistance intérieure

Dans la France occupée, quelques résistants commencent à s'organiser dès 1940. Mais chacun agit seul et perd en efficacité. Charles de Gaulle demande à Jean Moulin, un ancien préfet, de rassembler les résistants en une seule organisation. En 1944, ils sont tous unis au sein d'un seul mouvement, les Forces françaises de l'intérieur (FFI).

Des sabotages et des attentats
La Résistance est l'ensemble des actions menées contre l'occupant. Les résistants sabotent les lignes téléphoniques ou électriques et les voies de chemin de fer pour ralentir le transport des troupes ennemies. Ils aident les prisonniers à s'évader. Ils fabriquent de faux papiers et publient des tracts et des journaux.

La Résistance et la libération de la France

Par ses nombreux sabotages, la Résistance a gêné l'ennemi et facilité l'avancée des troupes alliées débarquées en Normandie et en Provence en 1944 (voir p.175). Les résistants ont libéré la Corse, une partie du sud-ouest et du centre de la France ainsi que Paris, avec l'aide des chars de la 2e division blindée du général Leclerc.

Rachel, petite fille juive pendant la guerre

Voici l'histoire vraie de Rachel qui a cinq ans quand la guerre éclate. Elle vit à Paris avec ses parents et sa sœur Louise.

Voici la photo de Rachel pendant la guerre

En 1939, avant la guerre, j'ai 5 ans et j'habite Paris. Mes parents sont polonais. Ma sœur Louise et moi, nous sommes nées en France.

Rachel, c'est l'heure ! Papa va arriver.

Je vais à sa rencontre !

Papa !

Rachel !

Papa est menuisier. Quand il rentre le soir, il sent bon le bois.

Il se passe des choses horribles en Allemagne !

Tu es en France, maintenant ! Nous, les juifs, nous ne craignons rien ici.

Papa aime organiser des fêtes pour la famille et les amis. Certains viennent d'arriver en France.

En septembre 1939, la guerre éclate. Papa s'engage comme soldat. En juin 1940, l'armée allemande envahit Paris. Papa revient et la vie reprend.

C'est pour vérifier ma situation.

N'y va pas !

Pourquoi ? Je n'ai rien à cacher.

Le 14 mai 1941, Papa est convoqué dans une caserne.

Je vais aller aux nouvelles.

Ce soir-là, Papa ne rentre pas.

Psankiewicz Abram ? Il a été arrêté.

Arrêté ? !

Papa est dans un camp, à Beaune-la-Rolande.

Mais il n'a rien fait !

Pendant l'occupation allemande, la France applique des lois raciales contre les juifs.

Le pire, c'est de porter l'étoile jaune !

Plus d'argent, plus de quoi manger : la vie est dure !

Le 15 juillet 1942, Maman entend dire qu'on va arrêter des femmes et des enfants.

Mais à 4 heures du matin, des policiers viennent nous chercher Louise et moi.

Ils nous ramènent à la maison...

... puis nous sommes emmenées. Aux fenêtres, des gens nous montrent du doigt, d'autres font des signes de croix. Cette nuit-là, des milliers de juifs sont arrêtés à Paris.

J'ai vu un policier qui laissait sortir un enfant par l'issue de secours.

Vous allez vous sauver par là.

On nous enferme dans une grande salle.

NON ! Je ne veux pas te quitter !

Partez ! Tout de suite !

Ce jour-là, je ne comprends pas que la gifle de maman est un geste d'amour. Elle nous a sauvé la vie.

Nous vivons maintenant avec Pépé et Mémé, dans une seule pièce.

Si une dame de service vient vous chercher, suivez-la sans un mot.

À l'école, la directrice a un plan pour nous cacher.

Vite, allez vous cacher à la cave !

Plusieurs fois, les enfants juifs descendent à la cave.

Mme la directrice, j'ai des questions à vous poser.

Chut ! Pas de bruit !

La directrice et la dame de service risquent leur vie en nous cachant.

Répète encore !

Je m'appelle Rolande Sanier. Mes parents sont morts dans un bombardement...

En 1944, une cousine m'emmène loin de Paris. J'ai de faux papiers avec un faux nom.

Voici Rolande. Elle va rester chez vous quelque temps.

Je suis confiée à une nourrice.

Pourquoi je n'ai pas de gâteau ?

Tais-toi ! File dehors !

Elle me traite mal et je suis très malheureuse.

En août 1944, les Américains arrivent. Peu à peu, la France est libérée.

Tu as des nouvelles de Papa et Maman ?

Non, je ne sais rien.

À Paris, je retrouve Louise. Notre appartement est dévasté.

Je suis contente de te retrouver, Rachel !

En octobre 1944, je retourne dans mon école. La guerre n'est pas finie, mais Paris est libéré.

Allons enfants de la Patrie, le jour de gloire est arrivé...

Pendant longtemps, j'ai rêvé que mes parents reviendraient un jour. Mais je ne les ai jamais revus. Ils ont été tués au camp d'Auschwitz.

FIN

Le régime de Vichy

Après la défaite de juin 1940, le maréchal Pétain dirige la France.
Il collabore avec l'occupant allemand et mène une politique
hostile aux juifs.

1 } Un pays coupé en deux

Le gouvernement de Pétain s'installe à Vichy, dans l'Allier. La France est divisée en deux par une ligne de démarcation : au nord et à l'ouest, la zone occupée par les Allemands ; au sud, la zone dite « libre », placée sous la responsabilité de Pétain.

- Zone administrée par le commandement allemand en Belgique
- Zone annexée au Reich
- Zone occupée par l'Italie en juin 1940
- Zone occupée par l'Italie en novembre 1942

Paris

ZONE OCCUPÉE

Vichy

ZONE LIBRE
(occupée en novembre 1942)

La zone sud, dite « zone libre », sera envahie par les Allemands en novembre 1942, suite au débarquement des Alliés en Afrique du Nord.

2 } Un régime autoritaire

Pétain supprime le Parlement et les syndicats. Il interdit le droit de grève et fait surveiller le pays par une police spéciale, la Milice française. Il remplace la devise républicaine « Liberté, Égalité, Fraternité » par « Travail, Famille, Patrie », car il pense que la France est devenue « décadente » à cause de la République : ses jeunes ont perdu le goût de l'effort, ils ne respectent plus ni leur pays ni l'autorité.

3 } Des lois antisémites

Dès 1940, le régime de Vichy interdit aux juifs d'être fonctionnaires et d'exercer les métiers d'avocat, médecin, journaliste, banquier et sage-femme. Il leur ferme l'accès à certains lieux publics. Il les oblige à se faire enregistrer auprès de la police, ce qui facilitera les rafles. En 1942, les autorités allemandes imposent aux juifs le port de l'étoile jaune dans la zone occupée.

Rafles et déportations
À partir de 1941, la police française arrête de plus en plus de juifs : ce sont les rafles. Ceux-ci sont emmenés dans des camps de détention à Drancy, Beaune-la-Rolande ou Pithiviers, puis déportés vers les camps de la mort, en Europe de l'Est. On estime que sur les 330 000 juifs vivant en France en 1940, 76 000 ont été déportés. Seulement 2 500 ont survécu. En Europe, le nombre total de juifs exterminés par les nazis est de 5 à 6 millions.

Des milliers d'enfants juifs cachés

Dès le début de la guerre, des hommes et des femmes s'opposent aux lois contre les juifs et prennent des risques pour les sauver. Parfois, des villages entiers se mobilisent. Par exemple, au Chambon-sur-Lignon, en Haute-Loire, les habitants ont caché de 1 000 à 3 500 juifs. En 1939, la France comptait 72 000 enfants d'origine juive. Environ 60 000 d'entre eux ont été sauvés.

La vie quotidienne sous l'Occupation

La France subit l'occupation nazie de 1940 à 1944. Les ressources du pays sont pillées et la vie des Français devient très difficile.

1 } Des magasins vides

Les commerçants ne sont plus ravitaillés car le commerce international est interrompu et la production agricole française diminue à cause du manque de paysans. Les occupants réquisitionnent la nourriture dans les fermes ou les restaurants. Les produits les plus difficiles à trouver sont la viande, le café, le beurre, les fruits, le charbon, l'essence et le savon.

Le marché noir

Dès 1940, le gouvernement distribue des cartes de rationnement pour limiter la quantité de produits achetés par personne. Par exemple, un adulte à Paris n'a droit qu'à 350 g de viande par semaine, l'équivalent de deux steaks ! Pour manger à leur faim, les Français sont obligés d'acheter en cachette des provisions à des prix très élevés : c'est le marché noir.

2 } La fin des libertés

Les Français ne sont plus libres de circuler comme ils veulent. Ils doivent obtenir une autorisation des Allemands pour passer de la zone occupée à la zone libre. Ils n'ont plus le droit de sortir de chez eux après une certaine heure : c'est le couvre-feu.

« Les Français parlent aux Français »

C'est ainsi qu'a été baptisée la principale émission en langue française diffusée pendant la guerre par la BBC, la radio anglaise. Nombre de Français l'écoutaient clandestinement pour avoir des nouvelles de la Résistance.

3 } Censure et propagande

Les radios comme Radio-Paris et les journaux sont contrôlés par l'occupant ou des Français qui collaborent avec l'ennemi. Les journalistes mentent, cachent certaines informations non favorables aux Allemands ou au régime de Vichy et présentent les résistants comme des terroristes.

4 } Une vie la peur au ventre

Sous l'Occupation, les Français ont peur tous les jours. Ils craignent les bombardements et les arrestations suite à une dénonciation. Les plus jeunes doivent se cacher pour éviter le STO. Certains habitants sont obligés d'héberger et de nourrir des soldats allemands, contre leur volonté.

C'est quoi, le STO ?

En février 1943, les Allemands exigent du gouvernement de Pétain que des jeunes Français partent travailler dans les usines et les fermes allemandes : c'est le Service du travail obligatoire (STO). Beaucoup refusent et se cachent. Certains rejoignent la Résistance (voir p.167). On estime cependant que 650 000 Français ont dû partir en Allemagne.

La libération de la France

En 1942, les troupes nazies commencent à reculer. Les Alliés débarquent en Normandie le 6 juin 1944 mais il faut attendre le 9 août 1945 pour que se termine la Seconde Guerre mondiale.

1 } Une opération réussie

Les Alliés (Grande-Bretagne, URSS, États-Unis) préparent depuis 1943 l'opération « Overlord », le débarquement en Normandie. Le 6 juin, à 6 h 30 du matin, environ 100 000 soldats américains, britanniques et canadiens prennent d'assaut les plages.

Le débarquement en Provence

Le 15 août 1944, deux mois après la Normandie, des troupes franco-américaines débarquent en Provence. Elles libèrent Marseille, Toulon et Lyon, avec l'aide de la Résistance (voir p. 167).

La libération de la France

Le débarquement en Normandie a mobilisé **5 000** navires et **11 000** avions. Progressivement, les Alliés repoussent l'ennemi. La dernière ville française, La Rochelle, est libérée le **8 mai 1945**, jour de la capitulation de l'Allemagne.

Opération Overlord 6 juin 1944
Cherbourg — Le Havre
Paris
Colmar
Maillé ✳
Lyon
Oradour-sur-Glane
Glières
Vercors
Tulle
Marseille
15 août 1944

● Zones de maquis
→ Mouvements des troupes alliées
→ Retraits des troupes allemandes

Libération des principales villes :

◆ 27 juin 1944 **Cherbourg**

◆ 25 août 1944 **Paris**

◆ 28 août 1944 **Marseille**

◆ 3 septembre 1944 - **Lyon**

◆ 12 septembre 1944 - **le Havre**

◆ 2 février 1945 **Colmar**

2 } Des massacres de civils

Après le débarquement, l'armée allemande recule mais elle se venge. Elle commet plusieurs massacres de villageois, dans différentes régions : à Oradour-sur-Glane, dans le Limousin, à Maillé, en Touraine, ou encore à Tulle, en Corrèze.

3 } Des traîtres jugés

Des Français accusent d'autres Français d'avoir collaboré avec l'ennemi et les considèrent comme des traîtres. Certains de ces « collabos », comme on les appelle, sont fusillés, sans preuves ni jugement, devant des foules en colère. Les femmes accusées de collaboration sont tondues. Le maréchal Pétain, lui, sera jugé et mourra en prison en 1951.

La fin de la guerre

Après la libération de la France, les Alliés continuent à se battre. Ils bombardent et détruisent 70 % des villes allemandes jusqu'à ce que l'Allemagne capitule, le 8 mai 1945. Pour vaincre le Japon, un allié de l'Allemagne, les Américains larguent deux bombes atomiques sur les villes d'Hiroshima et de Nagasaki, les 6 et 9 août 1945. Le Japon capitule. C'est la fin de la Seconde Guerre mondiale.

Bernard, un garçon des années 1950

En 1953, les petits Français comme Marc, Monique et Bernard vivaient différemment des enfants d'aujourd'hui. À la maison, ils n'avaient ni téléphone ni réfrigérateur, ni télévision…

Marc, 6 ans

Monique, 8 ans

Bernard, 10 ans

Henri et Denise, les parents

Philippe, 2 ans, et Jeanne, la grand-mère

7 h 30, un matin de décembre 1953, chez les Dubois.

J'aime pas la chicorée...

Vivement dimanche, qu'on ait du chocolat !

Marc, arrête de gigoter ! Je te lave juste le museau.

L'appartement de la famille Dubois est tout petit.

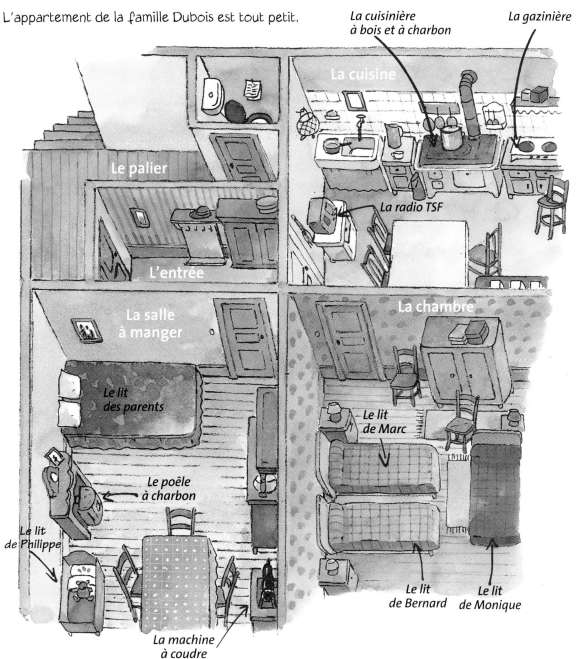

La cuisinière à bois et à charbon

La gazinière

La cuisine

Le palier

La radio TSF

L'entrée

La salle à manger

La chambre

Le lit des parents

Le lit de Marc

Le poêle à charbon

Le lit de Philippe

Le lit de Bernard

Le lit de Monique

La machine à coudre

177

Dépêchez-vous, vous êtes en retard !

Devant l'école, les filles et les garçons se séparent.

Dans la classe de Bernard, il y a 40 élèves.
Le maître commence par la leçon de morale.

Pourquoi est-ce important d'être propre ?

Mercredi 16 décembre 1953
Morale
La propreté favorise la bonne santé

Le seau à charbon

Un pupitre

Un buvard

Un porte-plume

Les bouteilles d'encre

Un plumier

Un encrier

Dubois, apportez-moi cet illustré !

Confisqué ! vous êtes puni !

Comme punition, Bernard doit faire 30 tours devant le bureau du directeur.

CHAT!

PFFF! Encore 5 tours à faire!

Jouer aux osselets, c'est bien...

Grand mur!

... mais regarder dans la cour des filles, c'est encore mieux!

DING! DING!

Grouille! La récré est finie!

L'après-midi, Bernard obtient 2 bons points. S'il a 10 bons points, il aura une image...

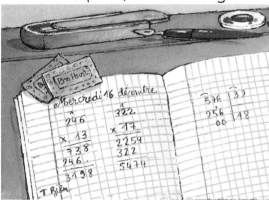

... et s'il est premier, il aura la croix d'honneur!

16 h 30. Les filles croisent les charbonniers. Ils versent le charbon dans la cave.

On se retrouve dans la rue, après le goûter?

D'accord!

Tous les après-midi, Mémé est à la maison.

Monique, si tu vas jouer dehors, emmène Philippe !

Marc et Bernard, vous allez faire les commissions...

Tu prendras des caramels à 1 franc.

Il n'y a pas de réfrigérateur. Alors il faut faire les courses tous les jours.

Voilà un litre de lait, mon grand.

Merci, madame.

Chez les commerçants, une glacière garde les aliments au frais.

Attention ! Voilà la glace.

La boulangère pèse le pain.

Et une tranche de plus pour faire le kilo.

Tiens, mon petit.

On partagera les caramels à la maison.

La seule télé du quartier est chez l'électricien. Les gens viennent la voir dans la vitrine.

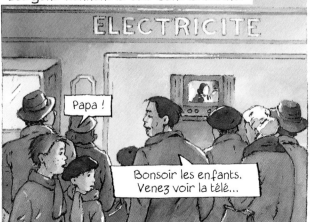

ELECTRICITE

Papa !

Bonsoir les enfants. Venez voir la télé...

Ce soir, c'est Monique qui met la table.

Bonsoir, ma grande !

À table, les enfants n'ont pas le droit de parler. Tout le monde écoute la radio.

Bravo ! vous gagnez un réfrigérateur !

Et si demain, on allait voir les jouets de Noël au bazar ?

OH OUI !

Puis Henri raccompagne Mémé chez elle.

En revenant, j'irai à la cave chercher du charbon.

Comme il n'y a pas de chauffage dans la chambre, on met des briques chaudes dans les lits.

Va te coucher, mon grand. J'apporte les briques.

Trois enfants dans la même chambre, c'est super pour chahuter !

Vous connaissez l'histoire de Toto aux W.-C. ?

Non !

Moi non plus, la porte était fermée !

Silence ! Si je viens, c'est la fessée !

Bernard, Marc et Monique s'endorment en rêvant de leurs jouets de Noël.

Fin

Reconstruire la France

Après la Seconde Guerre mondiale, la France est ruinée.
Grâce à l'aide des Américains et aux réformes économiques,
le pays se redresse peu à peu.

1 } Un pays très affaibli

En 1945, la France doit reconstruire des régions entières détruites au cours des combats. Les personnes et les marchandises circulent mal car les voies de chemin de fer et les ports ont été bombardés. Beaucoup de gens ont perdu leur logement. Ceux qui en ont un vivent sans confort, dans des habitations petites, sans eau chaude, ni toilettes, ni salle de bains. Les usines ne produisent plus et la population manque de nourriture, de charbon et de machines.

La Normandie en ruine
Cette région a été ravagée par les bombardements de la Seconde Guerre mondiale et les combats terrestres qui ont suivi le débarquement. Des dizaines de villes dont Caen, Lisieux, Le Havre ont été rasées.

2 } De l'aide venue d'Amérique

En 1948, les Américains proposent aux Français et aux Européens de l'argent pour reconstruire leur pays : c'est le plan Marshall. Cette aide financière permet de relancer l'industrie et l'agriculture. Seuls les pays d'Europe de l'Ouest acceptent cette aide. Ceux d'Europe de l'Est sont obligés de la refuser, sous la pression de l'URSS qui s'oppose aux États-Unis.

3 } D'importantes réformes économiques

Pour relancer l'industrie, créer rapidement des emplois et reconstruire le pays, l'État intervient davantage dans l'économie. Il prend le contrôle des mines de charbon, des usines de production de gaz ou d'électricité. Il crée de nouvelles banques, des compagnies d'assurances et des entreprises publiques (EDF, GDF...). Il achète des entreprises privées qui ont collaboré avec les Allemands pendant la guerre comme, par exemple, Renault, le constructeur d'automobiles.

4 } Pour plus de solidarité

Au lendemain de la guerre, les Français rêvent d'une société plus juste. C'est ainsi que naît la Sécurité sociale. Cet organisme, financé par les travailleurs et les employeurs, permet aux Français de se soigner et de bénéficier de différentes aides : indemnités de chômage (en cas de perte de son emploi), allocations familiales (pour élever ses enfants), retraite (pour les personnes âgées)...

La naissance de la société de consommation

À la fin des années 1950, la vie des Français s'améliore. Les familles achètent des voitures, des télévisions, des machines à laver, des réfrigérateurs...

1 } Le modèle américain

Les États-Unis deviennent la première puissance mondiale. Les Français découvrent à travers le cinéma les belles voitures américaines et le confort des maisons outre-Atlantique. Grâce au développement du crédit (somme d'argent prêtée par le banquier et remboursée en plusieurs fois plus tard), ils achètent les appareils électroménagers qui leur facilitent la vie.

2 } Les premières « grandes surfaces »

Inspirés par ce qui se fait déjà en Amérique, des commerçants se lancent dans la création de magasins en libre-service (où l'on se sert soi-même). Le premier supermarché ouvre en 1958, et le premier hypermarché (encore plus grand), en 1963. Le succès est immédiat car les prix y sont plus bas que chez les petits commerçants et il y a un très large choix de marchandises.

3 } Les enfants découvrent la télé

Dans les années 1960, la majorité des Français découvre la télévision. Elle est encore en noir et blanc et il n'existe qu'une seule chaîne : la deuxième chaîne sera créée en 1964. Plusieurs émissions sont déjà destinées aux enfants comme « Bonne nuit, les petits ! ».

La voiture dont les Français rêvent

En 1946 se tient le premier Salon de l'automobile de l'après-guerre. Les Français découvrent la Renault 4 CV. C'est la première voiture française à être fabriquée à plus d'un million d'exemplaires. En 1948, Citroën lance la 2 CV qui sera vendue à plus de 7 millions d'exemplaires.

Des bébés par milliers !

Avec la fin de la guerre et la croissance économique, les Français sont heureux et font plein de bébés : c'est le « baby-boom ». Entre 1946 et 1962, la population française passe de 39,8 à 46,4 millions d'habitants !

L'appel de l'abbé Pierre

La croissance économique n'élimine pas la pauvreté. En janvier 1954, à Paris, une femme meurt de froid dans la rue. L'abbé Pierre lance un appel à la radio : il demande des tentes, des couvertures et des poêles pour aider les sans-abri. Des dizaines de milliers de Français se mobilisent. Depuis, de nombreux logements et centres d'hébergement ont été créés par l'organisation fondée par l'abbé Pierre, Emmaüs.

1953-1986

Coluche
et les Restaurants du cœur

En 1985, Coluche, le clown qui fait rire la France, anime une émission de radio. Un soir, à la radio, il lance une idée : pourquoi ne pas créer une cantine gratuite pour les plus pauvres ?

Montrouge, près de Paris, 1953

Colucci*, t'es qu'un sale macaroni !

Tiens ! De la part du macaroni** !

PAF !

Allez, Michel !

TRiiiiiiiiTT !

Vas-y, Jean-Pierre !

* Le vrai nom de Coluche est Michel Colucci.
** Cette insulte désignait un Italien. Le père de Coluche était italien.

Mme Colucci, votre fils s'est encore battu...

Je voudrais tant qu'il soit un bon élève.

Bon courage ! C'est dur d'élever seule ses enfants quand on a perdu son mari...

Au revoir, M. le directeur.

« Perdu son mari, gna-gna-gna... » On l'a pas perdu ! Il est mort !

Mimi, si tu continues comme ça, je t'envoie en pension !

Oh non ! Pas la pension pour Mimi...

À la maison, ils retrouvent Danièle, la sœur de Michel.

Qu'est-ce qu'on va manger ?

Il reste des œufs et du lait...

On fait des crêpes ?

À 15 ans, Michel a quitté l'école. Il traîne dans la rue avec son meilleur copain, Bouboule.

Au secours !

Au voleur !

La vache !

PAN! PAN!

Voleur, c'est trop dangereux !

185

À 20 ans, Michel a essayé plein de petits boulots : livreur, fleuriste, pompiste... Il a deux passions : la moto et la guitare.

Dans Paris...

Acteur ou chanteur, c'est cool ! On doit gagner plein de fric, sans se fatiguer !

Les feuilles mortes se ramassent à la pelle
Les souvenirs et les regrets aussi...

Pas assez pour un sandwich !

T'as besoin de sous ? Je cherche quelqu'un pour faire la plonge...

Les feuilles mortes se ramassent à la pelle
Les souvenirs et les regrets aussi...

Chanter de la poésie, ça ennuie les gens. Il faut les faire marrer...

En 1966, Michel prend le nom de Coluche *.

J'suis l'andouille qui fait l'imbécile
Mon nom sonne comme une maladie,
Et grâce à ça je traîne au lit
L'air con me rend la vie facile...

* Coluche commence comme Colucci et finit comme coqueluche.

Il rencontre Romain Bouteille, un autre artiste.

T'en penses quoi ?

Tu bouges pas assez.

Va au cinéma ! Et tu imites des acteurs qui ne te ressemblent pas.

Des acteurs qui ne me ressemblent pas ???

Cette nana** est très forte ! Je vais lui piquer tous ses trucs !

** Il s'agit de l'actrice américaine Elizabeth Taylor.

Paris, 1969. Coluche, Romain Bouteille et quelques copains ouvrent un petit théâtre...

... qui connaît vite un grand succès.

Des années plus tard, Coluche est seul sur scène...

Finalement, un soir d'élection présidentielle, le 19 mai 1974, la France entière découvre Coluche.

Le succès est foudroyant ! Dans ses sketches, Coluche se moque de tout : la police, la politique, le racisme, la pauvreté...

Les artichauts, c'est un vrai plat de pauvres. C'est le seul plat que quand t'as fini de manger, t'en as plus dans ton assiette que quand t'as commencé !

Il joue dans des films, il vend plein de disques...

Il fait de la radio...

Bonjour, Coluche ! Je m'appelle Ginette, j'ai 75 ans...

Bonjour, ma poule ! On t'écoute !

Coluche devient riche. Il s'achète des voitures, des motos... Il offre des cadeaux à ses proches. Avec sa femme et ses deux enfants, il habite une maison à Paris, toujours pleine de monde.

Hé, Bouboule ! On va faire un tour en moto après ?

1985. Coluche anime une émission sur la radio Europe 1. Il reçoit des tonnes de courrier...

Et beaucoup d'appels au secours

Salut Coluche. C'est bien ce que vous faites, mais savez-vous qu'en France, il y a des gens qui ne mangent pas à leur faim...

Un peu plus tard

J'ai une petite idée, comme ça...

La France des années 1960 aux années 1980

En 1960, la France est en pleine croissance économique, mais elle doit faire face à la décolonisation et à la nécessité de construire l'Europe pour préserver la paix. Pour comprendre cette époque, voici quelques mots clés à retenir.

Bombe atomique

Le 13 février 1960, la France fait exploser sa première bombe atomique dans un désert, en Algérie. Pour les autorités françaises, l'arme nucléaire est indispensable à la défense et à l'indépendance de la France. Mais ces tirs nuisent à la santé des populations locales, à cause des retombées radioactives qui provoquent de graves maladies...

Charles de Gaulle

Chef de la Résistance pendant la guerre (voir p. 167), Charles de Gaulle revient au pouvoir en 1958 pour régler le conflit qui a éclaté en Algérie (voir Décolonisation). Il sera président de la République pendant onze ans, jusqu'en 1969. Il meurt en 1970.

La Vᵉ République

C'est en 1958 que le général de Gaulle fait rédiger une nouvelle Constitution qui donne naissance à la Vᵉ République. Dès lors, le président de la République gagne davantage de pouvoir car il se fait élire directement par les Français. La Vᵉ République est toujours en vigueur aujourd'hui.

Concorde (avion)

Dans les années 1960, la France se lance dans la grande industrie. Elle pilote avec la Grande-Bretagne la construction du Concorde, l'avion commercial le plus rapide au monde, puis celle du paquebot *France*. Dans les années 1970 et 1980, elle s'associe à d'autres pays européens pour construire les avions Airbus et les fusées Ariane.

La guerre d'Algérie

En 1945, l'Algérie est constituée de trois départements français. Un million de Français, appelés les « pieds-noirs », y vivent aux côtés de 8 millions d'Algériens musulmans. Mais les deux communautés n'ont pas les mêmes droits : les musulmans ne peuvent circuler librement, leurs enfants vont moins à l'école... Le 1ᵉʳ novembre 1954, les indépendantistes algériens commettent une série d'attentats. Les Français répondent par les armes et la torture. Cette terrible guerre durera jusqu'en mars 1962, date à laquelle l'Algérie obtiendra son indépendance.

Décolonisation

Dès 1945, les pays colonisés par la France (voir p. 125) réclament leur indépendance. La guerre éclate en Indochine en 1946 et se termine par l'indépendance du Vietnam, du Cambodge et du Laos. À part l'Algérie, les autres pays colonisés, la Tunisie, le Maroc et les territoires de l'Afrique noire, obtiennent plus facilement leur indépendance entre 1956 et 1960 car il y a moins de Français vivant sur place.

Mai 68

En 1968, les étudiants se révoltent aux États-Unis et en Europe. Ils reprochent à leurs aînés de ne penser qu'à l'argent, refusent la société de consommation (voir p. 183) et l'autorité. En France, ils sont rejoints par les salariés en grève. Pendant trois semaines, police et manifestants s'affrontent à Paris, à coups de pavés et de matraques. Le conflit se termine après des négociations qui aboutissent à des augmentations de salaires : les accords de Grenelle.

Pauvreté

Quand Coluche crée les Restaurants du cœur en 1985, la France compte 2 millions de chômeurs. Le nombre de personnes pauvres ne cesse d'augmenter : des sans-abri, des femmes seules avec leurs enfants, travaillant à temps partiel ou dans des emplois mal payés, des personnes âgées… En 2014, la France compte 3,3 millions de chômeurs.

Europe (construction de l')

Pour préserver la paix en Europe, la France, l'Allemagne, l'Italie, la Belgique, les Pays-Bas et le Luxembourg se rapprochent dès les années 1950. Ils créent la Communauté européenne du charbon et de l'acier (mise en commun de la production de charbon et d'acier). En 1957, le traité de Rome donne naissance à la Communauté économique européenne. Aujourd'hui, l'Union européenne compte 28 pays membres et une monnaie unique, l'euro. Elle est devenue une puissance agricole et industrielle mais reste politiquement difficile à diriger.

Mitterrand (François)

Élu président de la République le 10 mai 1981, François Mitterrand abolit la peine de mort et donne plus de pouvoir aux communes, départements et régions. Il réduit le temps de travail (semaine de travail à 39 heures au lieu de 40, cinquième semaine de congés payés, retraite à 60 ans) mais cette politique échoue à faire reculer le chômage.

Coluche président

En 1981, Coluche se présente à l'élection présidentielle. Pour lui, c'est une manière de critiquer les hommes politiques qui ne parviennent pas à faire baisser le chômage. Il retire finalement sa candidature peu avant les élections.

Pétrole

En 1973, le prix du pétrole est multiplié par quatre. Cette situation provoque une crise économique en Europe. La France décide de diminuer ses besoins en pétrole en produisant de l'énergie nucléaire. Aujourd'hui, l'énergie nucléaire est critiquée à cause des risques liés aux produits radioactifs et au stockage des déchets.

Mondialisation

Depuis la fin des années 1980, les gens, les marchandises, l'argent, l'information circulent librement dans le monde. Les frontières s'effacent. Les vêtements vendus en Europe peuvent être fabriqués avec du coton cultivé en Inde, dessinés en France et cousus au Maroc. La mondialisation permet aux entreprises de produire partout dans le monde, au prix le plus bas car les salaires sont inégaux d'un pays à l'autre. Cette situation provoque la fermeture des usines en Europe et crée du chômage.

Ma famille vient d'ailleurs

Le récit de Léo

Mon arrière-grand-père s'appelle Umberto

Ho molta sete. Mangerei una pesca ! *

Il est né dans le nord de l'Italie, en 1917. Il avait 9 frères et sœurs et sa famille était très pauvre. Il n'allait pas à l'école, il gardait les chèvres. À 18 ans, il est venu en France.

* J'ai très soif. Je mangerais bien une pêche.

Tu dois apprendre vite le français !

Il a rejoint un de ses cousins qui travaillait déjà comme ouvrier dans une ferme.

Elle est mignonne, la petite...

En 1936, il rencontre Maria, la fille d'un ouvrier espagnol.

VIVONO SPOSATI !

C'est le coup de foudre ! Plus tard, ils deviennent des citoyens français*.

Je vais aider les voisins. À ce soir !

En 1946, ils achètent une ferme. J'aime bien y aller pour les vacances.

* Un citoyen français : c'est quelqu'un qui a la nationalité française. Cela donne des droits (par exemple : voter ou être élu) mais aussi des devoirs (connaître et respecter les lois de la France).

Le récit de Nora

Il a quitté l'Algérie à 20 ans, en laissant sa femme Aziza. En France, il y avait du travail pour les immigrés*.

Il a débarqué dans le port de Marseille.

Papi a été embauché dans une usine de voitures. Il travaillait à la chaîne : toute la journée, il montait des roues arrière. Son copain José, un Portugais, montait les roues avant.

En 1970, Aziza est venue en France. Ils habitaient dans un bidonville : pas d'eau, pas de chauffage.

Mes grands-parents ont été relogés dans une cité. C'est là que maman a grandi.

* Un immigré : c'est quelqu'un qui a quitté son pays pour vivre ailleurs. Il n'a pas la nationalité du pays où il vit. Mais il peut l'obtenir.

Le récit de Marion

En 1975, c'est la fin de la guerre du Vietnam*. Beaucoup de gens fuient le pays car ils sont menacés par le nouveau pouvoir communiste.

* Voir p. 369.

Mes parents, Van et Thong, se sont retrouvés dans un camp en Thaïlande.

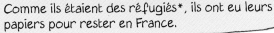

Comme ils étaient des réfugiés*, ils ont eu leurs papiers pour rester en France.

Mes grands frères et moi nous sommes nés à Paris. Nous vivons dans le 13ᵉ arrondissement.

Mes parents tiennent un petit restaurant vietnamien.

Un des frères de Papa vit aux États-Unis. Nous irons le voir bientôt !

*Un réfugié : c'est quelqu'un qui a fui son pays où il était en danger. Il a demandé l'asile, c'est-à-dire la protection d'un autre pays. Il a obtenu des papiers pour rester dans ce pays.

Le récit de Youssou

Beaucoup d'hommes de ma ville travaillent en France, comme mon père. Il nous envoie de l'argent.

Papa est ouvrier dans le bâtiment. Il faut être fort et c'est parfois dangereux...

Longtemps, papa a habité dans un foyer : il ne pouvait pas nous faire venir en France.

En 2001, toute la famille est venue en France. Nous étions sans-papiers* et habitions dans un hôtel.

Maintenant, nous avons nos papiers pour rester en France. Parfois, nous retrouvons nos voisins et nos amis pour partager un thiéboudienne. C'est un plat du Sénégal avec du poisson.

* Un sans-papiers : c'est un étranger qui n'a pas les papiers qui l'autorisent à vivre dans un pays. Il est en situation irrégulière. On dit aussi que c'est un clandestin.

Le récit de Rama

Avant l'été 2015, je vivais en Syrie. Là-bas, c'est la guerre.

Les enfants, on va au bord de la mer.

Avant, Papa travaillait dans le tourisme. On avait une belle maison, une belle voiture.

Des bombes ont détruit notre immeuble. Papa a dit qu'il n'y avait plus d'espoir ici. Il a décidé d'aller en Europe.

La vente de la voiture va nous permettre de payer notre voyage.

Papa a payé un passeur pour qu'il nous emmène en bateau vers la Grèce. Nous étions entassés dans un bateau pourri. Après, on a marché plus d'un mois, on a dormi par terre, on a franchi les frontières de plein de pays.

Papa voulait aller en Angleterre, mais ce n'est pas possible. Alors on habite chez des Français.

Bonjour, je suis Mariam.

Depuis quelque temps, mes parents apprennent le français, comme moi. Papa va demander l'asile* pour rester en France.

*Un demandeur d'asile : c'est quelqu'un qui a fui son pays et demande la protection d'un autre pays. Il demande à ce pays d'accueil de lui accorder le statut de réfugié (voir p. 194).

La France, terre d'accueil

La France accueille des étrangers depuis des siècles. Ses 66,6 millions d'habitants forment en 2016 une population aux origines diverses.

1 } Du travail et la liberté

Au XIXᵉ siècle, la France est en pleine révolution industrielle (voir p. 126). Des hommes et des femmes venus d'autres pays européens viennent y travailler dans les usines. Ils quittent leur pays pour des raisons politiques et choisissent la France, le pays qui a fait la Révolution et défend les droits de l'homme. Après les deux guerres mondiales, l'État français fait venir des travailleurs étrangers car il a besoin de main-d'œuvre pour construire les routes, les immeubles et les voitures.

2 } Intégration réussie !

Jusque dans les années 1970, les immigrés s'intègrent facilement à la société. Beaucoup obtiennent la nationalité française. Ils vivent dans les mêmes quartiers que les Français de souche, travaillent dans les mêmes usines, adoptent le même mode de vie et leurs enfants se font des copains français à l'école. Chacun a du travail et a confiance en l'avenir.

Devenir français

Il faut pour cela soit :
- avoir un parent français (dans ce cas, peu importe le lieu de naissance) ;
- être né et vivre en France les enfants nés en France de parents étrangers deviennent français à 18 ans (ou à 13 ans, sur demande) ;
- demander la nationalité française (naturalisation) ;
- se marier avec un(e) Français(e).

Une immigration qui évolue

Après la Première Guerre mondiale, les étrangers arrivant en France sont européens. Après la Seconde Guerre mondiale, ils viennent plutôt des anciennes colonies françaises. Depuis 2014, les migrants arrivent par dizaines de milliers en Europe et pour certains en France. Ils fuient la guerre ou la misère dans leur pays (souvent du Proche-Orient et d'Afrique). Ces hommes, ces femmes et ces enfants traversent la Méditerranée dans des bateaux en mauvais état et ils risquent leur vie.

3 } Racisme et crise économique

Avec la crise économique des années 1970, le chômage réapparaît. Les immigrés en sont les premières victimes. Peu à peu, les quartiers qu'ils habitent (souvent de grands ensembles d'immeubles en banlieue) s'appauvrissent. Les immigrés ont moins de possibilités de se mélanger aux Français qui préfèrent aller vivre dans des maisons ou dans le centre des villes. Bien que beaucoup d'immigrés aient la nationalité française, certains se sentent victimes du racisme. Aujourd'hui, il est plus difficile pour un étranger de s'installer en France.

Des nouveaux Français très célèbres !

Beaucoup d'acteurs, de sportifs, d'artistes et d'hommes politiques ont des parents ou des grands-parents d'origine étrangère. Par exemple, Serge Gainsbourg, Isabelle Adjani, Louis de Funès, Omar Sy (photo), Zinedine Zidane, Nicolas Sarkozy ou Manuel Valls…

Les Français du XXIe siècle

Depuis la fin des années 1980, la France est ouverte sur le monde grâce à l'Europe, au commerce international, au tourisme et aux médias. Pourtant, le pays compte de plus en plus de chômeurs et les inégalités augmentent entre les plus riches et les plus pauvres.

1} Des familles de toutes sortes

Au début du XXe siècle, la famille s'organisait autour du père de famille et de la femme au foyer qui s'occupait des enfants. Aujourd'hui, la majorité des femmes travaille à l'extérieur (voir p. 147). Beaucoup d'enfants vivent seuls avec l'un de leurs parents suite à un divorce ou dans une famille recomposée, avec un beau-père ou une belle-mère et, parfois, de nouveaux frères et sœurs.

2} Des pratiques religieuses différentes

Autrefois, les Français étaient en majorité chrétiens (catholiques ou protestants), une minorité pratiquait le judaïsme. Aujourd'hui, l'islam est devenue la deuxième religion de France.

La Grande Mosquée de Paris

Elle est la première mosquée construite en France, entre 1924 et 1926, en hommage aux musulmans morts pour la France pendant la Première Guerre mondiale.

3} De plus en plus d'étudiants...

En 2014, la France compte plus de 2,3 millions d'étudiants suivant des études supérieures (après le bac). En 1913, à la veille de la Première Guerre mondiale, ils n'étaient que 41 400, presque soixante fois moins ! Au début du XXe siècle, la majorité des filles et des garçons quittait l'école à 12 ans pour travailler dans les champs ou à l'usine (voir p. 125).

4} ... et de papis-mamies !

Les Français vivent de plus en plus longtemps. En 2014, l'espérance de vie pour une femme est de 85 ans, et de 78 ans pour un homme, contre 43 ans en moyenne en 1850 ! La France compte aujourd'hui 15 millions de retraités, soit plus d'un habitant sur quatre. Les retraités sont souvent très actifs et beaucoup bénéficient d'une bonne retraite. Ils voyagent, pratiquent des loisirs ou des sports et animent de nombreuses associations.

Un monde hyper-connecté

En 2014, il est facile de rester connecté avec le monde. On peut à tout moment consulter ses courriels, lire les informations, commander des marchandises via son ordinateur ou son smartphone. On peut télécharger des vidéos et de la musique ou regarder des rediffusions d'émissions de télévision, s'écrire, se parler ou échanger des photos avec leurs amis par les réseaux sociaux.

5 } Une société plus tolérante

Au début du xxᵉ siècle, une femme divorcée ou vivant avec un homme sans être mariée était mal vue par la société. Quant à l'homosexualité, elle était punie par la loi. Aujourd'hui, chacun est plus libre de vivre sa vie comme il veut. La loi a pris en compte cette évolution.

6 } Un monde du travail difficile

Avec les crises économiques qui se sont succédé depuis les années 1970, il est de plus en plus difficile de trouver un emploi stable. Beaucoup de salariés, souvent des femmes, doivent accepter des postes à temps partiel ou mal rémunérés. Selon le métier qu'ils veulent faire, les jeunes peinent plus ou moins à trouver leur premier emploi. Les rythmes de travail se sont accélérés, alors que les salaires, pour la plupart des Français, n'augmentent plus ou très peu.

Le mariage pour tous
Depuis mai 2013, une nouvelle loi permet aux couples homosexuels de se marier : c'est le « mariage pour tous ». Cette mesure a été fortement contestée par une partie des Français.

7 } Le temps des loisirs

Alors que la semaine de travail dépassait bien souvent les 60 heures au xixᵉ siècle, elle est aujourd'hui officiellement fixée à 35 heures pour les salariés. Les Français ont de plus en plus de temps libre. Ils en profitent pour regarder la télévision, jardiner, bricoler, faire du sport ou pratiquer une activité artistique. Ceux qui en ont les moyens voyagent, vont au théâtre, à l'opéra ou au cinéma.

De terribles attentats

Photo : Jean Mulatier/Gamma-Rapho

Depuis plusieurs années, la France est la cible de terroristes qui agissent au nom d'organisations islamistes, al-Qaida et Daesh. Ces hommes ont assassiné de nombreuses personnes, à Montauban, Toulouse, Paris, Nice... Ils veulent éliminer ceux qui ne pensent pas comme eux et imposer à tous une interprétation extrémiste de la religion musulmane. Ils cherchent à opposer les Français les uns aux autres. Pourtant, la seule façon de rendre le monde meilleur est de se respecter les uns les autres. En France et dans d'autres pays, les citoyens peuvent voter pour décider comment vivre tous ensemble : cela s'appelle la démocratie.

8 } Et demain ?

Les Français devraient vivre de plus en plus vieux : on estime que la moitié des enfants nés au début du xxiᵉ siècle seront centenaires, dans des pays comme la France ou le Japon. Pour préserver la planète, les gouvernements vont devoir construire un développement durable : des usines plus propres, une agriculture sans produits chimiques, un meilleur recyclage des déchets... À son niveau, chacun peut y participer !

L'évolution de la France à travers les siècles

Au cours des siècles, les frontières de la France métropolitaine ont été modifiées par les guerres et les conquêtes pour finalement se stabiliser en 1946. Aujourd'hui, le pays compte 66 millions d'habitants, dont 3 millions vivent dans les communautés d'outre-mer (COM), les départements et les régions d'outre-mer (DROM). Ces territoires sont les dernières traces de notre histoire coloniale.

La Gaule au Iᵉʳ siècle avant J. C.

Lutèce
Parisii
Alésia
Séquanes
Éduens
Bibracte
Burdigala
Arvernes
Allobroges
GAULE
TRANSALPINE
Volques

La Gaule, une partie de l'empire romain au Iᵉʳ siècle après J. C.

Rome

● Empire romain en 98 après J.C.

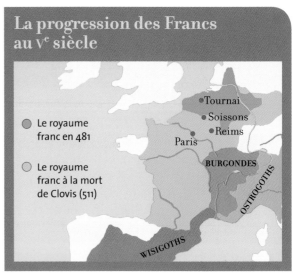

La progression des Francs au Vᵉ siècle

● Le royaume franc en 481

○ Le royaume franc à la mort de Clovis (511)

Tournai
Soissons
Reims
Paris
BURGONDES
OSTROGOTHS
WISIGOTHS

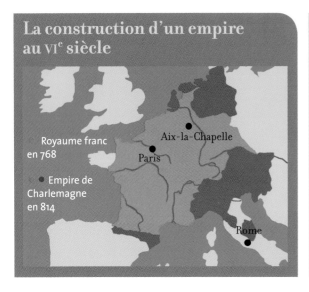

La construction d'un empire au VIᵉ siècle

Aix-la-Chapelle
Paris

Royaume franc en 768

● Empire de Charlemagne en 814

Rome

Le territoire est divisé par le traité de Verdun en 843

Aix-la-Chapelle
Paris
Verdun
FRANCIE
FRANCIE
Strasbourg
OCCIDENTALE
ORIENTALE
LOTHARINGIE
ÉTATS
PONTIFICAUX

Le domaine royal entre le Xᵉ et le XIIᵉ siècle

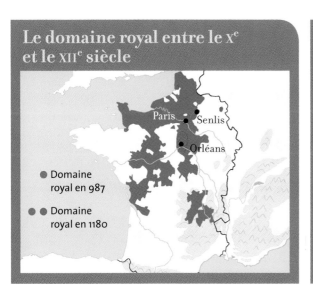

Paris
Senlis
Orléans

- ● Domaine royal en 987
- ●● Domaine royal en 1180

Le royaume de France est divisé en 1429

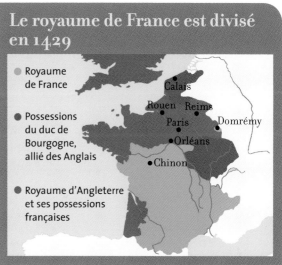

Calais
Rouen Reims
Paris   Domrémy
Orléans
Chinon

- ● Royaume de France
- ● Possessions du duc de Bourgogne, allié des Anglais
- ● Royaume d'Angleterre et ses possessions françaises

L'Europe napoléonienne en 1812

- ● Empire français
- ● Annexions napoléoniennes
- ✳ Grandes batailles

PRUSSE   ✳ Berezina
Grand-duché de Varsovie
Waterloo   Iéna   RUSSIE
EMPIRE   Confédération du Rhin   ✳ Austerlitz
FRANÇAIS   Roy.   EMPIRE
d'Italie   D'AUTRICHE
ESPAGNE
Trafalgar   Roy.   EMPIRE OTTOMAN
✳   de Naples

L'Europe des alliances en 1914

Moscou
ROYAUME-UNI
Londres   EMPIRE
EMPIRE   Berlin   RUSSE
ALLEMAND
Paris
FRANCE   Vienne
AUTRICHE-HONGRIE
Sarajevo
ITALIE   SERBIE
Rome MONTÉNÉGRO

- ● Triplice (Allemagne, Autriche-Hongrie, Italie)
- ● Triple-Entente (Royaume-Uni, France, Russie)
- ○ États proches de la Triple-Entente (Serbie, Monténégro)

La ligne de démarcation coupe la France en deux zones en 1940

- ● Zone administrée par le commandement allemand en Belgique
- ● Zone annexée au Reich
- ● Zone occupée par l'Italie en juin 1940
- ○ Zone occupée par l'Italie en novembre 1942

Paris
ZONE OCCUPÉE
Vichy
ZONE LIBRE
(occupée en novembre 1942)

La France métropolitaine actuelle avec les DROM et les COM

St-Pierre-et-Miquelon   Réunion
Guadeloupe   FRANCE
Martinique   MÉTROPOLITAINE
Polynésie
Guyane
Nᵉˡˡᵉ-Calédonie
Mayotte   Corse

En gras, les dossiers complets consacrés
à un personnage ou à un thème.

Cet ouvrage a été écrit par **Sophie Crépon** avec la collaboration de Pascale Bouchié, Anne-Laure Fournier Le Ray, Catherine Loizeau et Frédérique de Watrigant.

Les illustrations et les cartes des pages documentaires ont été réalisées par **Béatrice Veillon**.

Illustration de couverture : **Jean-Marc Stalner**. Couleur : **Christelle Pécout.**

Bandes dessinées

À la chasse avec Neandertal Scénario : Catherine Loizeau ; Dessin : Jean-Marc Stalner ; Couleur : Jocelyne Charrance.

Vercingétorix face à Jules César Scénario : Catherine Loizeau ; Dessin : Catherine Chion.

Sur le chantier du pont du Gard Scénario : Catherine Loizeau ; Dessin : Loïc Derrien ; Couleur : Dominique Thomas.

Clovis, premier roi des Francs Scénario : Catherine Loizeau ; Dessin : Benjamin Strickler.

À l'école de Charlemagne Scénario : Catherine Loizeau ; Dessin : Cécile Chicault.

Une journée au moulin Scénario : Pascale Bouchié ; Dessin : Aude Soleilhac.

Qui était Saint Louis ? Scénario : Pascale Bouchié ; Dessin : Jean-Marc Stalner ; Couleur : Delphine Gloannec.

Voyage au Mont-Saint-Michel Scénario : Anne-Laure Fournier Le Ray ; Dessin : Patrick Deubelbeiss.

Jeanne la guerrière Scénario : Catherine Loizeau ; Dessin : Julien Maffre.

François Ier, roi de France Scénario : Frédérique de Watrigant ; Dessin : Catherine Chion.

La fondation du Québec Scénario : Catherine Loizeau ; Dessin : Vincent Perriot.

Le bon roi Henri Scénario : Catherine Loizeau ; Dessin : Jean-Marc Stalner ; Couleur : Marie Huet.

Une journée dans la vie de Louis XIV Scénario : Catherine Loizeau ; Dessin : Jean-Emmanuel Vermot-Desroches.

Il était une fois la pomme de terre Scénario : Catherine Loizeau ; Dessin : Clémence Paldacci.

La prise de la Bastille Scénario : Catherine Loizeau ; Dessin : Yohann Puhaud ; Couleur : C. Houdelot.

Napoléon, à la conquête du pouvoir Scénario : Catherine Loizeau ; Dessin : Ginette Hoffmann.

Le travail des enfants Scénario : Catherine Loizeau ; Dessin : Tatiana Domas.

Dans l'atelier du photographe Scénario : Catherine Loizeau ; Dessin : Jean-François Solmon.

Marie Curie, une vie au service de la science Scénario : Catherine Loizeau ; Dessin : Benjamin Strickler.

Allez, les filles ! Scénario : Pascale Bouchié ; Dessin : Jazzy.

1914-1918 : La guerre dans les airs Scénario : Catherine Loizeau ; Dessin : Loïc Derrien.

Bienvenue à bord du *Normandie* ! Scénario : Catherine Loizeau ; Dessin : Nicolas Wintz.

L'incroyable destin de Charles de Gaulle Scénario : Pascale Bouchié ; Dessin : Jean-Emmanuel Vermot-Desroches.

Rachel, petite fille juive pendant la guerre Scénario : Pascale Bouchié ; Dessin : Michael Sterckeman.

Bernard, un garçon des années 1950 Scénario : Pascale Bouchié ; Dessin : Ginette Hoffmann.

Coluche et les Restaurants du cœur Scénario : Pascale Bouchié ; Dessin : Julien Maffre.

Des Français venus d'ailleurs Scénario : Pascale Bouchié ; Dessin : Ronan Badel.

Crédits photographiques
b = bas, h = haut, g = gauche, d = droite, m = milieu

Agence Shutterstock.com: p. 13 Natursports; p. 14 Luigi Nifosi; p. 15 Maria Gaellman; p. 18 Bertl123; p. 21 (hd) Berents et Igor Sokolov (breeze), (mg) Antonio Abrignani; p. 22 Bertl123; p. 26 (mg) Kevin H. Knuth, (hd) Verity Johnson, (bd) Brian Maudsley; p. 27 Javarman; p. 41 Sufi; p. 42 Cudak; p. 57 David Herraez Calzada; p. 63 (hg) Pack-Shot, (hd) Ewelina Wachala, (md) Yvon52; p. 75 (m) S.R. Lee Photo Traveller, (b) Georgios Kollidas; p. 77 (h) Michael Rosskothen; p. 83 (h) Meunierd; p. 88 (h) Georgios Kollidas; p. 94 CIS; p. 95 (b) Javier Martin; p. 101 Morphart Creation; p. 102 (h) Kathriba; p. 103 Antonio Abrignani; p. 110 (b) Stefan Ataman; p. 118 Huang Zheng; p. 125 (b) Golden Pixels LLC; p. 127 (b) Majeczka; p. 132 (b) Margo Harrison; p. 142 LiliGraphie; p. 166 Jim Vallee; p. 167 (h) Boris15; p. 190 (b) Jiri Flogel; p. 197 (h) Soulgems, (b) Joe Seer; p. 198 Bensliman Hassan; p. 199 (h) Bikeriderlondon, (b) Anton Balazh.

Domaine public: p. 20; p. 28; p. 29; p. 33; p. 43 (hd) et (bg); p. 50; p. 51; p. 62; p. 63 (b); p. 70; p. 71; p. 75(h); p. 76 (h) et (b); p. 77 (b); p. 83 (b); p. 88 (m) et (b); p. 95 (m); p. 100; p. 102 (m); p. 109; p. 111 (h) et (b); p. 117 (m) et (b); p. 125 (m); p. 126; p. 127 (h); p. 132 (h) et (m); p. 133); p. 140 (m) et (b); p. 141 (h), (m) et (b); p. 147; p. 153; p. 154 (h) et (b); p. 155 (m) et (b); p. 160; p. 161 (m) et (b); p. 167 (m) et (b); p. 173; p. 174 (h) et (b); p. 175 (h) et (b); p. 182; p. 183 (h) et (b); p. 192.

L'éditeur remercie Patricia Legris, maître de conférences en histoire contemporaine à l'université de Rennes-2, pour sa relecture attentive.
Merci aux auteurs et aux illustrateurs des bandes dessinées d'avoir permis la réalisation de cet ouvrage.

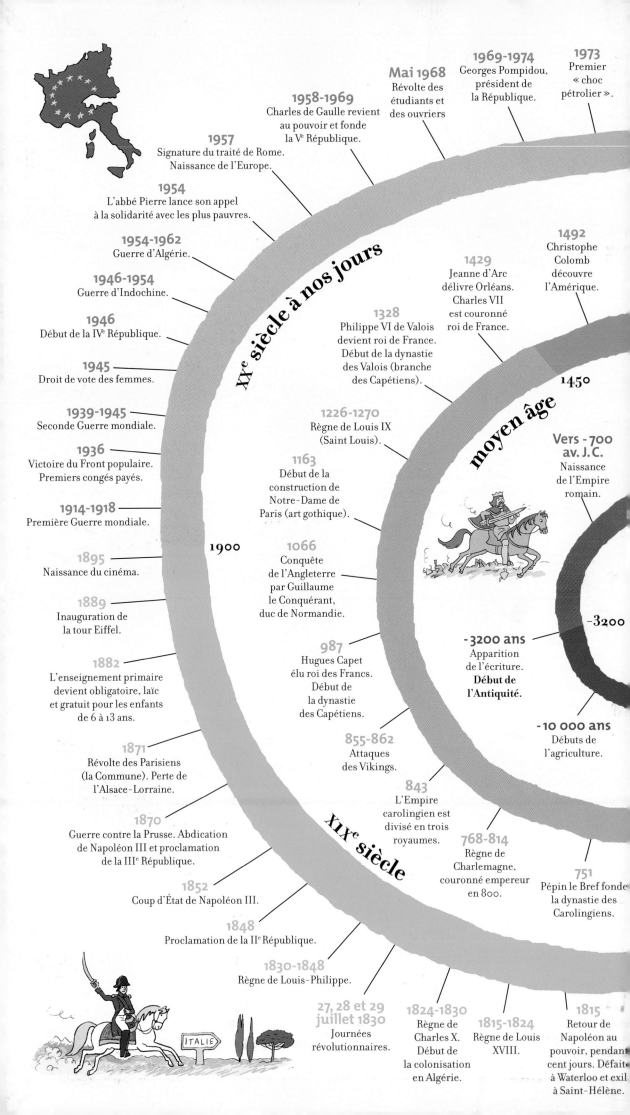

1969-1974
Georges Pompidou, président de la République.

1973
Premier « choc pétrolier ».

Mai 1968
Révolte des étudiants et des ouvriers

1958-1969
Charles de Gaulle revient au pouvoir et fonde la Vᵉ République.

1957
Signature du traité de Rome. Naissance de l'Europe.

1954
L'abbé Pierre lance son appel à la solidarité avec les plus pauvres.

1954-1962
Guerre d'Algérie.

1946-1954
Guerre d'Indochine.

1946
Début de la IVᵉ République.

1945
Droit de vote des femmes.

1939-1945
Seconde Guerre mondiale.

1936
Victoire du Front populaire. Premiers congés payés.

1914-1918
Première Guerre mondiale.

1895
Naissance du cinéma.

1889
Inauguration de la tour Eiffel.

1882
L'enseignement primaire devient obligatoire, laïc et gratuit pour les enfants de 6 à 13 ans.

1871
Révolte des Parisiens (la Commune). Perte de l'Alsace-Lorraine.

1870
Guerre contre la Prusse. Abdication de Napoléon III et proclamation de la IIIᵉ République.

1852
Coup d'État de Napoléon III.

1848
Proclamation de la IIᵉ République.

1830-1848
Règne de Louis-Philippe.

27, 28 et 29 juillet 1830
Journées révolutionnaires.

1824-1830
Règne de Charles X. Début de la colonisation en Algérie.

1815-1824
Règne de Louis XVIII.

1815
Retour de Napoléon au pouvoir, pendant cent jours. Défaite à Waterloo et exil à Sainte-Hélène.

XXᵉ siècle à nos jours

1900

XIXᵉ siècle

ITALIE

1492
Christophe Colomb découvre l'Amérique.

1429
Jeanne d'Arc délivre Orléans. Charles VII est couronné roi de France.

1328
Philippe VI de Valois devient roi de France. Début de la dynastie des Valois (branche des Capétiens).

1226-1270
Règne de Louis IX (Saint Louis).

1163
Début de la construction de Notre-Dame de Paris (art gothique).

1066
Conquête de l'Angleterre par Guillaume le Conquérant, duc de Normandie.

987
Hugues Capet élu roi des Francs. Début de la dynastie des Capétiens.

855-862
Attaques des Vikings.

843
L'Empire carolingien est divisé en trois royaumes.

768-814
Règne de Charlemagne, couronné empereur en 800.

751
Pépin le Bref fonde la dynastie des Carolingiens.

1450

moyen âge

Vers - 700 av. J.C.
Naissance de l'Empire romain.

-3200

- 3200 ans
Apparition de l'écriture.
Début de l'Antiquité.

- 10 000 ans
Débuts de l'agriculture.